Rosas

EDICIÓN ORIGINAL

Dirección de la publicación
Marie-Pierre Levallois

Dirección editorial
Catherine Delprat

Edición
Sylvie Cattaneo-Naves
con la colaboración de Florence Belvisi y Catherine Maillet

Dirección artística
Emmanuel Chaspoul

Diseño gráfico
Jean-Yves Grall

Ilustraciones
Fotografías: © Agencia MAP/Mise au point
Dibujos: Sylvie Rochart

EDICIÓN ESPAÑOLA

Dirección editorial
Jordi Induráin

Edición
Laura del Barrio

Traducción
Isabel Olid

Preimpresión
Digital Screen, servicios editoriales

Cubierta
Mònica Campdepadrós

ISBN: 978-84-15411-89-5
Depósito legal: B. 4113-2013
2E1I

Rosas

Bénédicte Boudassou

www.larousse.es

Sumario

PICTOGRAMAS

- ☀ Sol
- ☀ Semisombra
- ☀ Sombra
- 🪴 Tamaño de la planta
- 🕐 Tiempo de realización
- € Coste medio
- 👁 Referencias

SIETE ACCIONES

Nociones fundamentales de jardinería

BÁSICAS

CONSEJO

Elija el tamaño de la maceta en función del tipo de rosal y su importancia. Así, a un rosal de *Rosa chinensis* le basta una jardinera grande o una maceta de 30 cm de diámetro. Los demás rosales cultivados en el balcón necesitan macetas más profundas que anchas. Los de mata y los que tienen forma de arbolillo deberán plantarse, al menos, a una profundidad de 40 cm para que crezcan bien. Los trepadores y los arbustivos, a una profundidad de 50 cm.

S.O.S.

¡La tierra de la maceta se seca enseguida en el balcón!

Ponga una capa de bolitas de arcilla en la superficie de la maceta. Además, también puede colocar alrededor del rosal, lo más cerca posible, otras macetas con plantas vivaces frondosas y bajas. Darán sombra al pie del rosal y, así, la tierra se secará con más lentitud, sin privarle del sol que necesita para florecer correctamente.

Si sigue estos consejos de plantación, su rosal tiene muchas posibilidades de agarrar sin ningún problema. No olvide regarlo abundantemente una vez a la semana durante el primer año para que arraigue bien.

¿Cuándo plantar?

Los rosales comprados en un terrón o en una maceta pueden plantarse durante todo el año, excepto en las épocas de heladas y de sequedad extrema. Sin embargo, la mejor época para que arraiguen rápidamente y con fuerza va de octubre a mayo.
Los rosales plantados en otoño y en invierno tendrán tiempo de desarrollar las raíces y requerirán menos cuidados al año siguiente.
Los rosales plantados en primavera o a principios de verano tendrán que regarse y vigilarse regularmente.

Pasos que deben seguirse

1. **Ponga en remojo el rosal** en un cubo durante un cuarto de hora largo.

2. **Cave un agujero de 40 cm de ancho, como mínimo, y de 50 cm de profundidad.** Mulla bien los lados y el fondo del agujero.

3. **Suelte las raíces** que se hallen alrededor de la tierra de la maceta.

4. **Ponga el terrón** en el agujero, al mismo nivel que la superficie de la tierra. Use un palo para comprobar el nivel. Para los rosales en forma de arbolillo, coloque a la vez el tutor, enterrándolo 10 cm más abajo que el rosal.

5. **Vuelva a taparlo** mezclando un poco de abono especial de plantación con la tierra y, para terminar, compacte bien la superficie con el pie. Riéguelo.

Plantar los rosales en macetas

6. **Ponga una capa drenante en el fondo de la maceta,** de unos 5 cm de grosor. Cúbrala de tierra y coloque el rosal de forma que el terrón se encuentre 5 cm por debajo del borde de la maceta. Rellene el resto con abono y riéguelo (en épocas de calor, hay que regarlo cada día).

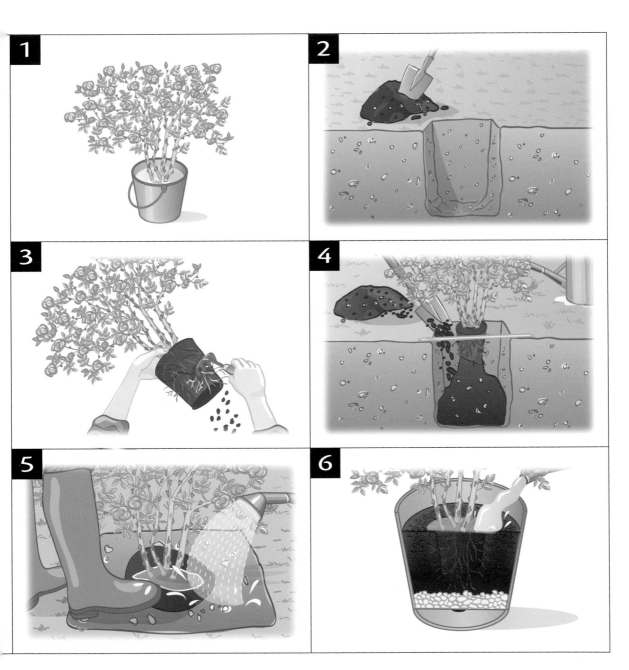

2 Plantar un rosa

Un rosal trepador no es más difícil de plantar que cualquier otro. La clave del éxito radica en la posición inclinada de las raíces. Este método les permite desarrollarse sin obstáculos, ya que su dirección es contraria al soporte.

¿Dónde plantarlo?

Las paredes acogen sin problemas a los rosales trepadores, pero hay que evitar plantarlos en superficies orientadas hacia el sur: el calor genera enfermedades. Deje un espacio mínimo de unos 10 o 15 cm entre las estacas del empalizado o el enrejado y la pared, para proporcionar una buena ventilación a las ramas del rosal. **Elija el emplazamiento en función del desarrollo** adulto del rosal. En una fachada pequeña con muchas ventanas, será preferible un rosal trepador de poca altura. En una gran tapia, los rosales tipo enredadera tienen el espacio que necesitan para crecer a lo ancho. Los arcos, las columnas y los enrejados pueden constituir soportes para rosales de altura media y alta, siempre que se planten solamente uno o dos pies.

¿Cómo plantarlo?

1. **Ponga en remojo el rosal** en un cubo durante un cuarto de hora largo.

2. **Cave un agujero a 30 cm del soporte como mínimo.** Mulla bien los lados y el fondo del agujero.

3. **Coloque el rosal inclinado en el agujero,** para que forme un ángulo agudo contra el soporte. Calce el rosal con la ayuda de un montículo de tierra. Coloque las raíces sueltas o el terrón en el lado opuesto al soporte.

4. **Vuelva a tapar** el rosal cuando esté bien colocado, con el cuello al nivel del suelo. Apriete bien la tierra y riéguelo abundantemente.

5. **Ate muy flojas las ramas** al soporte y espere a que la tierra se estabilice para volver a fijarlas.

6. **Guíe las ramas** hacia una y otra parte del pie, en forma de abanico, separándolas bien para evitar que se enreden posteriormente.

HERRAMIENTAS

Una laya, un cubo y una regadera.

CONSEJO

A menudo, a los pies de la fachada quedan restos de la grava utilizada en su construcción, o hay una tierra inadecuada. Retire estos materiales y sustitúyalos por buena tierra antes de plantar el rosal trepador. Tenga también presente que en la base de un empalizado, debe alejarse el pie del rosal de la capa que rodea sus pilares. Así, las raíces tendrán más tierra para alimentarse.

S.O.S.

¿Cómo guiar un rosal sobre un árbol?
Coloque un tutor oblicuo entre el pie del rosal y el tronco. Rodee éste con alambre para poder atar en él las ramas antes de que sean lo bastante grandes y fuertes para enroscarse solas alrededor de las ramas del árbol. Cuando el rosal esté bien arraigado, quite el tutor.

repador

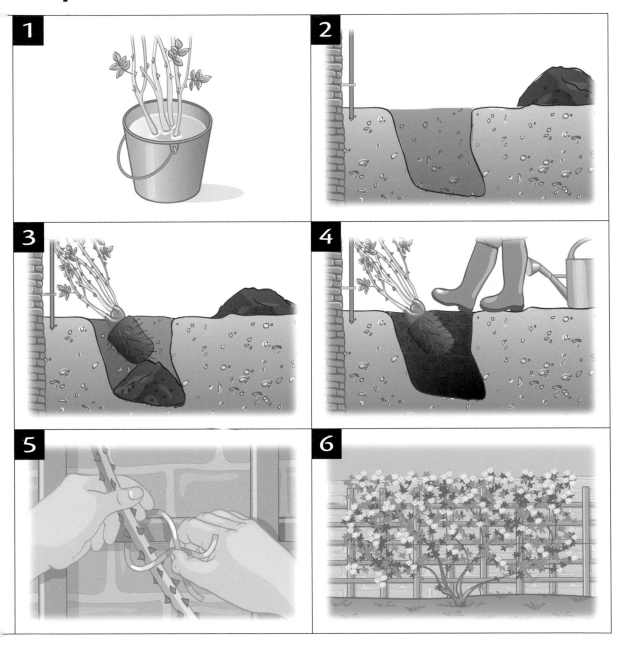

Plantar un rosal trepador 11

3 Cómo mantene

Un mantenimiento regular garantiza que sus rosales salgan adelante, ya que, en esos momentos privilegiados en los que los cuida, garantizan su vigor y floración.

¿Cuándo intervenir?

En primavera y antes de la primera floración: abónelos. Antes de las heladas, cubra el pie de los rosales con una montañita de tierra.
Durante todo el año: elimine los retoños y los brotes en cuanto aparezcan.
Por lo menos una vez al mes, bine el pie de los rosales y riéguelos en función del tiempo y del calor. En el caso de los rosales en macetas, hágalo una vez a la semana. Mantenga un acolchado al pie.

Trabajos que hay que llevar a cabo

1. Quite las malas hierbas del pie del rosal y corte los retoños tan pronto como aparezcan. Para hacerlo, cave con cuidado en la tierra hasta encontrar el punto de la raíz donde nace éste, y córtelo a ras de raíz, sin dañar ésta. Corte también los chupones, esas grandes ramas rígidas que aparecen sobre el patrón de injerto y que no dan flores, sino que les chupan la savia.

2. Bine con regularidad la tierra del macizo para deshacer la costra de la superficie. Así se airea la tierra y se mantiene permeable.

3. Riegue por la mañana temprano o a última hora de la tarde al pie del rosal, abundantemente, de modo que la tierra se humidifique en profundidad.

4. Nutra la tierra con abono orgánico (estiércol o compuesto) una vez al año, en primavera. Tras la primera floración, un abono «especial para rosales» granulado de disolución lenta potenciará el crecimiento de los rosales.

5. Proteja la tierra colocando un acolchado en su superficie compuesto por cortezas u otros materiales secos. También puede plantar vivaces bajas alrededor del rosal. Impedirán que crezcan las malas hierbas y que el suelo se seque.

6. Cubra el rosal amontonando unos 30 cm de tierra alrededor del pie cuando llegue el frío. Así, el tronco quedará protegido de las heladas. Retire la capa de tierra durante los primeros días soleados de marzo.

os rosales

4 Limpiar y rejuve.

Cortar regularmente las flores marchitas y recortar los tallos muertos son acciones sencillas que favorecen la buena salud de sus rosales y una floración abundante, a la vez que previenen las enfermedades.

¿Cuándo intervenir?

A principios de primavera, cuando ya no hay que temer las heladas, limpie el rosal eliminando los tallos secos y proceda a la poda de rejuvenecimiento recortando todos los tallos.

Durante el período de floración corte las flores marchitas cada día, las flores nuevas crecerán mejor.

Etapas de la poda

1. **El corte debe hacerse siempre en bisel,** justo por encima de una yema (a unos 5 mm), sin estropearla y colocando la parte superior del bisel cerca de esta yema.

2. **Corte el extremo de los tallos que tengan flores marchitas** por encima de la primera hoja bien formada (de 5 folíolos) que tenga una yema en la axila. Esta yema producirá otro brote. Corte totalmente las hojas enfermas desde la base.

3. **Retire los tallos secos cortando las ramas por la base.** Así despejará el ramaje y mantendrá el rosal limpio.

4. **La poda de rejuvenecimiento se realiza después de haber recortado** la longitud de todos los tallos sanos entre uno y dos tercios. Luego retire las ramas muertas, los tallos demasiado delgados y los tocones viejos cortándolos a ras de suelo. Corte los demás tallos viejos al nivel de los tallos nuevos y vigorosos o de los tallos más jóvenes. Conserve de este modo tres o cuatro ramas principales.

HERRAMIENTAS

Unas tijeras de podar, una sierra y guantes de jardinero.

CONSEJO

Ya sean flores marchitas, hojas enfermas o ramas cortadas, hay que quemar todos los residuos o tirarlos a la basura. Sobre todo, no los deje en el suelo o al pie del rosal, y tampoco los ponga en la pila de compuesto, ya que podría contaminarlo con las posibles enfermedades y los eventuales parásitos de su rosal. Siga esta única norma, incluso aunque su rosal no parezca enfermo, ya que así evitará sorpresas desagradables.

S.O.S.

Mis rosales no han sido cuidados…
Si los rosales de su jardín sufren abandono desde hace unos años, proceda durante un año, en dos momentos (en otoño y a principios de primavera). Empiece por eliminar todas las ramas secas, las débiles y las que estén demasiado enredadas, y los garrones de podas anteriores. Una vez hecho esto, recorte un tercio la longitud de todas las ramas.

cer los rosales

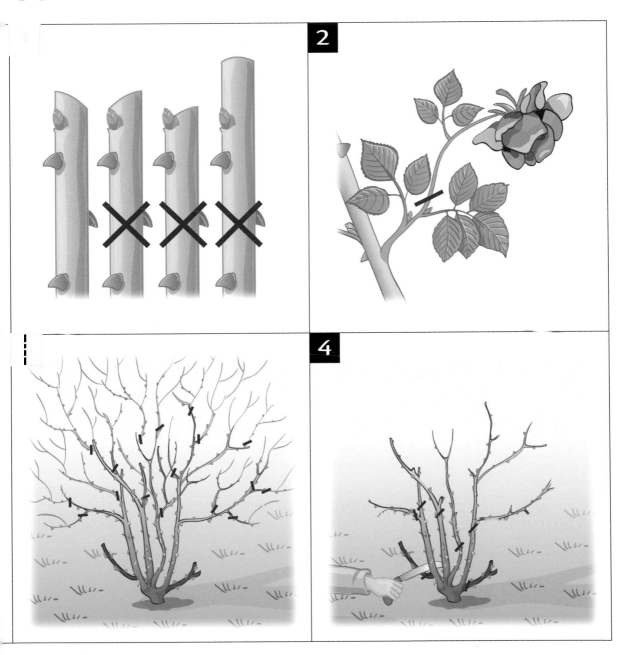

5 Podar los rosales

Para mantenerse fuertes y floríferos, los rosales deben podarse. Corte en función del tipo de rosal y, si se equivoca, no se preocupe. Obtendrá rosas de todos modos, aunque quizá en menor número.

¿Cuándo podar?

La poda de limpieza se efectúa **en julio**, al finalizar la floración, en todos **los rosales florecientes** (los que sólo florecen una vez). **En noviembre** se efectúa una **poda de limpieza** en **todos los rosales reflorecientes** (los que florecen más de una vez). **A finales de invierno** se efectúa una **poda extrema en los rosales arbustivos,** entre mediados de febrero y mediados de marzo, nunca en época de heladas.

La poda de limpieza

1. Corte las ramas muertas de color marrón o gris, justo por su base. Suprima las ramas más delgadas que un lápiz; son demasiado débiles para soportar flores.

2. Elija las cinco ramas más bonitas de la periferia del rosal, con la corteza verde y reluciente. Procure que estén repartidas lo más regularmente posible. Corte el resto de las ramas por la base.

3. Recorte un cuarto de la longitud de las ramas que haya conservado. Pode el resto de rosales del jardín siguiendo el mismo método.

La poda extrema

4. En el caso de las ramas cuyo diámetro en la base es inferior a 1 cm: corte por encima de la primera yema orientada hacia el exterior del rosal.

5. En el caso de las ramas cuyo diámetro en la base es superior a 1 cm: corte a la altura de la rodilla, justo por encima de una yema orientada hacia el exterior.

6. Un rosal está bien podado cuando quedan solamente las ramas más bonitas y se han suprimido todas las partes marchitas, muertas o demasiado débiles.

HERRAMIENTAS
Unas tijeras de podar y un par de guantes de jardinero.

CONSEJO
En los rosales trepadores, puede recortar un tercio la longitud de las ramas principales, cortar las ramificaciones a dos o tres yemas de su base, eliminar las ramas que van en la dirección equivocada y, eventualmente, los tallos demasiado viejos. En los rosales de tallo, basta con igualar la silueta cortando las ramas a cuatro o seis yemas de su base. En el caso de los tapizantes y los colgantes, simplemente iguale la silueta para que se mantenga armoniosa.

S.O.S.
¿Y los rosales que están en macetas?
La poda de los rosales miniatura y de los que se cultivan en maceteros es idéntica a la de los rosales cultivados en la tierra.

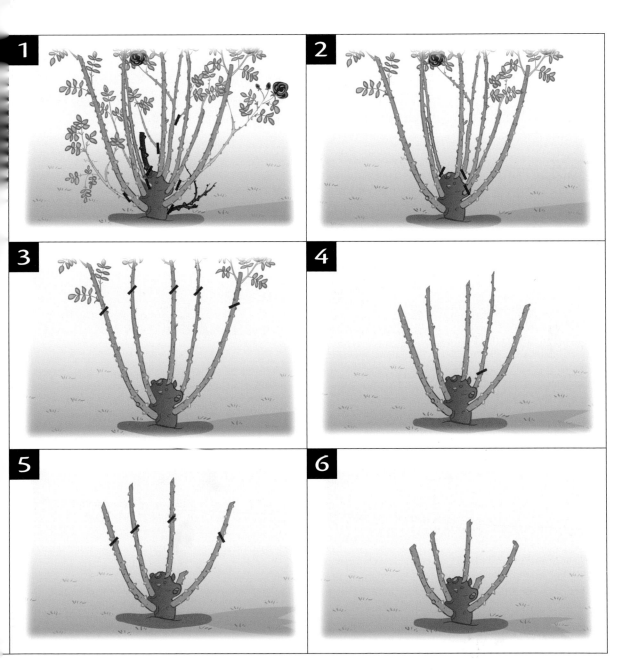

6 Los esquejes y lo

Los esquejes y los acodos son métodos para multiplicar los rosales. Plantar esquejes es el medio más sencillo, el acodo es un procedimiento espontáneo de arraigo de los tallos de los rosales al entrar en contacto con la tierra.

¿Cuándo realizar la multiplicación?

A finales de verano para los esquejes y a finales de primavera para el acodo. La extracción de esquejes se practica en muchos tipos de rosales distintos. Recoja varios esquejes y plántelos en la misma maceta o en una cajita. El acodo se usa únicamente para los rosales trepadores y para los arbustivos flexibles.

Etapas de la plantación de esquejes

1. **Divida los tallos en fragmentos de entre 15 y 20 cm de largo,** elimine las hojas pero conserve el rabillo. Corte cada tallo en bisel justo por encima de una yema en la parte de arriba, y luego realice un corte limpio por debajo de otra yema en la parte de abajo.

2. **Recubra la extremidad inferior del esqueje** con polvo de hormonas de enraizamiento.

3. **Coloque el esqueje en una maceta** con una mezcla de tierra ligera (mitad mantillo, mitad arena), enterrando dos tercios de su longitud. Riéguelo y manténgalo húmedo. Coloque la maceta en un lugar sombreado y al abrigo del viento.

4. **Debe trasplantar los brotes jóvenes** en el jardín en abril o mayo.

Etapas del acodo

5. **Elija una rama joven y sana** de la periferia de un rosal de tallos flexibles o de un rosal trepador. Deshójela y realice un corte en la corteza en la parte inferior de la rama. Entierre el acodo y sujételo con ganchos. Riéguelo con regularidad.

6. **Al otoño siguiente, cuando el acodo haya echado raíces,** separe el rosal joven del pie de la madre cortando el antiguo tallo al nivel del suelo. Trasplante el rosal nuevo transportando su terrón con un desplantador para no romper las raíces jóvenes.

HERRAMIENTAS

Unas tijeras de podar, un desplantador y una regadera.

CONSEJO

Si dispone de una cajonera (una especie de pequeño invernadero alargado con una tapa de cristal que se abre), póngalo entre sol y sombra e introduzca los esquejes en su interior hasta que llegue la primavera. Los esquejes de rosal resisten las condiciones del exterior si están en lugares resguardados. A principios de invierno, colóquelos lejos del hielo, en una habitación que no tenga calefacción, pero donde dé el sol. Recúbralos con hojas secas o con paja si el frío es intenso.

S.O.S.

¡Algunos esquejes parecen secos!
De todos sus esquejes, algunos agarrarán y otros no. Retire los que no lo hayan hecho cuando estén totalmente secos, ya que no suponen riesgo alguno para los demás. Deberá trasplantar éstos a la tierra en primavera.

codos de los rosales

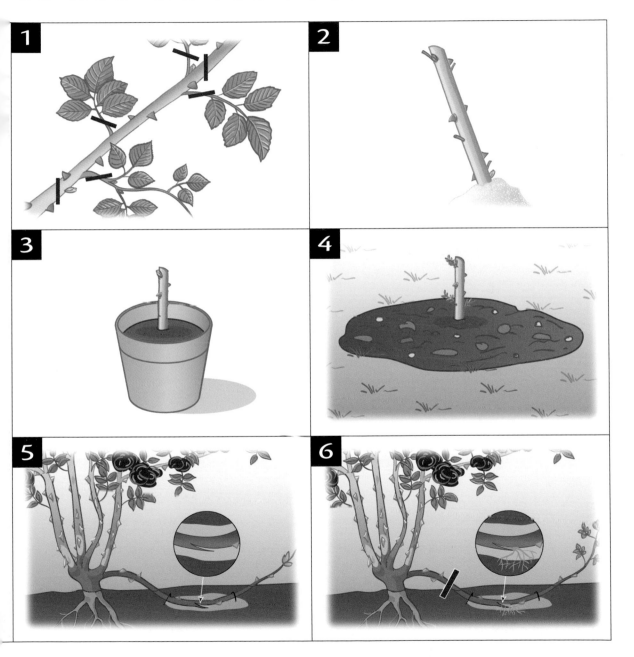

7 Tratar los insecto

Inspeccione sus plantas con regularidad, con el fin de detectar a tiempo las primeras señales de un ataque parasitario o de una enfermedad. Un tratamiento adaptado aplicado cuando aparecen los primeros síntomas bastará para reparar los daños y conservar la salud de sus rosales.

¿Cuándo tratar?

Elija un día sin viento y, al menos, cinco o seis horas antes de que llueva. En pleno verano, aplique el tratamiento por la mañana temprano, ya que la acción del sol sobre los productos de tratamiento podría quemar las hojas y las flores.

Evite los tratamientos preventivos, que tienen tendencia a debilitar las plantas. Sin embargo, inicie un tratamiento cuando aparezcan los primeros síntomas para impedir la propagación de la enfermedad al conjunto de la planta.

Use un producto específico (es preferible a un tratamiento universal, que ataca a la vez enfermedades e insectos), tras haber identificado el problema o haber acudido a un jardinero competente para que lo identifique.

¿Cómo tratar?

1. Observe su rosal. Si presenta manchas negras o marrones, es señal de que tiene una enfermedad criptogámica, **la enfermedad de las manchas negras (marsonia).** Unos hilillos blancos en las hojas y en los tallos son característicos **del oídio.** La **roya** se manifiesta mediante manchas anaranjadas y ocres en las hojas. Los parásitos principales de los rosales son: los **pulgones**, pequeños insectos verdes o negros, y las **cochinillas**, que forman montoncitos blancos o aparecen como duros caparazones pegados a los tallos. Ambas especies chupan la savia del rosal.

2. Pulverice la mezcla adaptada a cada tipo de enfermedad o de insecto. Para un pequeño rosal de mata, aplique una mezcla preparada con un pulverizador manual. En el caso de los rosales arbustivos y trepadores, use un producto soluble en agua, con un pulverizador de mango telescópico. Procure mojar bien las hojas por encima, pero también por la superficie inferior.

HERRAMIENTAS

Un pulverizador portátil, un par de guantes de jardinero y gafas de protección.

CONSEJO

La mejora del estado del rosal requerirá algo de tiempo. No espere que reverdezca al cabo de pocos días o que deje de tener parásitos de la noche a la mañana. Tenga paciencia y respete rigurosamente las dosis que indican los envases. Una sobredosificación puede comportar que las hojas y los tallos se oscurezcan y que el rosal deje de crecer.

S.O.S.

¡Los parásitos y las hojas afectadas caen al suelo!
Recoja a conciencia las hojas enfermas y quémelas. Renueve también la tierra de la superficie del pie de la planta para eliminar los parásitos, así como los hongos microscópicos.

las enfermedades

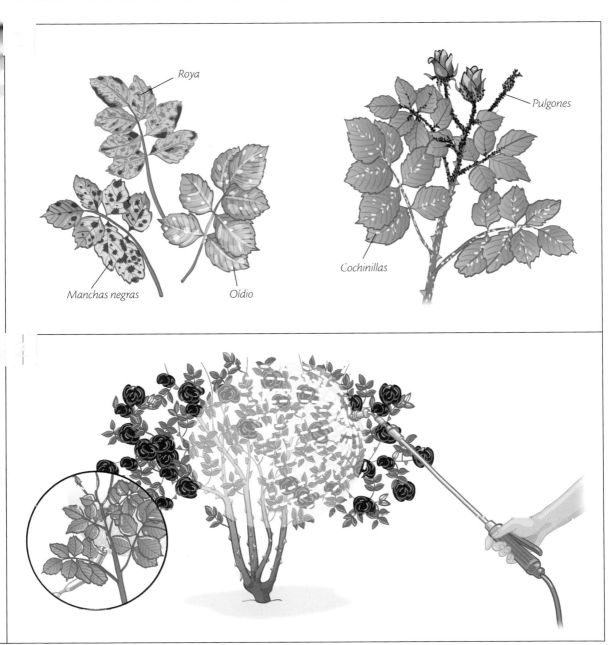

Roya

Manchas negras

Oídio

Pulgones

Cochinillas

CALENDARIO

Todo lo que hay que hacer, mes a mes

DE LAS ACTIVIDADES DEL AÑO

En PRIMAVERA

Plantar

Regar

Fertilizar

Mantener

Podar

Tratar

Proteger

Primavera	Verano
Prepare los hoyos de plantación y plante en un recipiente los rosales que haya comprado. Etiquete los rosales que ya haya plantado.	Aún está a tiempo de plantar rosales comprados en recipiente si ha esperado hasta ahora para adquirirlos.
Procure regar con regularidad cuando no sea época de lluvia.	Adáptese al clima local, pero los rosales exigen un riego regular, especialmente los rosales de recipiente plantados en flor. En el balcón, riegue los rosales de las macetas cada día o cada dos días.
Si no ha enriquecido la tierra en otoño, añada un abono de disolución lenta al pie de cada rosal.	Añada abono al pie de los rosales más altos. Tras la primera eclosión, les facilitará el desarrollo.
Elimine las malas hierbas del pie de los rosales y luego añada abono orgánico a la tierra con la ayuda de una horquilla. Cubra el pie de los rosales con un acolchado.	Corte las flores a medida que vayan marchitándose, excepto las de los rosales de frutos decorativos. Bine el suelo alrededor de los rosales, si no los ha cubierto con un acolchado, y elimine las malas hierbas con regularidad.
Si no lo hizo en febrero, pode los rosales que están en crecimiento y los de floración continua. Realice los acodos en los rosales de tallos flexibles. Coloque tutores para los rosales trepadores.	Arranque de cuajo los retoños y las malas hierbas. Pode los rosales que no hayan crecido desde la última floración.
Vigile la aparición de parásitos y enfermedades, y trátelos lo antes posible.	Observe con frecuencia el estado de sus rosales. Trate las enfermedades y los parásitos tan pronto como aparezcan y corte las partes afectadas sin desequilibrar en ningún caso la planta. Tire las hojas que haya cortado o quémelas.
Retire el montoncito de tierra que había colocado antes del invierno para proteger el pie de los rosales.	Extienda sobre la tierra un acolchado hecho de corteza de pino o de pajitas de lino.

Marzo | *Habilidad manual* | HERRAMIENTAS: una regadera y una horquilla.

15 euros por 100 m² | 5' por m²

Abonar un macizo de rosales

Nutra sus rosales, se lo agradecerán floreciendo y volviéndose más resistentes a las enfermedades.

¿Cuándo hacerlo?
Para abonar, se recomiendan dos épocas: finales de invierno, en el momento en que la vegetación vuelve a cobrar vida, y tras la primera floración. El primer abono ayuda al renacimiento, mientras que el segundo favorece una buena floración. Durante la estación estival, abone únicamente si su rosal ha sufrido alguna carencia o alguna enfermedad.

¿Cómo se hace?
1. **Extienda el abono** al pie del rosal, siempre después de haberlo regado. Se esparce mejor sobre la tierra húmeda.
2. **A continuación rasque** la tierra para incorporar someramente el abono a la tierra de la superficie.

3. **Riegue** de nuevo para que el abono se adhiera bien a la tierra y empiece a liberar sus elementos.

¿Qué abono elegir?
Tanto para los rosales en maceta como para los que están plantados en la tierra, compre abonos específicos, preferiblemente de disolución lenta, en forma de granulado, que podrá incorporar a la plantación. Calcule entre 30 y 50 g por rosal.
Los abonos solubles tienen una acción más rápida, pero son menos eficaces a largo plazo: permiten darle un empujón puntual al rosal. Si dispone de compuesto en el jardín, aprovéchelo para sus rosales. Cuando está bien descompuesto, es el mejor abono que existe.

Nutridos con regularidad, los rosales «Pink Groostendorst» y «Fernandel» de este macizo florecen en profusión.

Acciones básicas
Cómo mantener los rosales, p. 12
Diccionario
Abono, p. 100

26

10-15 euros
por rosal

Los rosales de estilo antiguo florecen todo el verano

¿Prefiere las rosas tupidas cuyas densas corolas evocan los antiguos jardines? Complázcase con los rosales antiguos o con los nuevos híbridos, que unen el estilo de las rosas de antaño con las cualidades modernas. En una y otra categoría, encontrará variedades que están en flor todo el verano.

¿Cuáles elegir?

● **Los rosales antiguos.** «Buff Beauty» es uno de los mejores ejemplos, y de sus ramos amarillo aterciopelado emana un perfume sutil. «Gruss an Aachen» y «Old Blush» son apreciados por sus flores abundantes y perfumadas.

Entre los trepadores, cabe destacar «Ghislaine de Féligonde», con flores amarillo pálido, o «Zéphirine Drouhin», de origen exótico, con flores rojo cereza claro, muy perfumadas. Tanto en maceta como en el jardín, «Vicks Caprice» ofrece sus corolas rosa moteado de lila y blanco.

Acciones básicas
Plantar
rosales, p. 8
Catálogo
«Buff
Beauty», p. 66
«Ghislaine de
Féligonde», p. 67
«Pierre de
Ronsard», p. 88
«Alphonse
Daudet», p. 73
«Heritage», p. 80

«Zéphirine Drouhin» es un rosal Borbón de floración muy abundante. No tiene espinas y, por lo tanto, puede colocarse en un lugar de paso.

«Graham Thomas» es una de las rosas inglesas más conocidas. Su color amarillo puro no tiene parangón.

● **Las creaciones recientes** unen a las flores de estilo antiguo las plantas resistentes, floríferas y perfumadas, que hoy están presentes en todos los catálogos de los floristas especializados en rosas. El magnífico trepador «Pierre de Ronsard» es el paradigma de esta asociación, con sus flores llamativas que se abren en gajos tupidos. «Madame Bovary», «Comtesse de Ségur», «Dames de Chenonceau», «Auguste Rendir», «Alphonse Daudet» y «Colette» se abren en corolas dobles y perfumadas, muy al estilo de los rosales antiguos. La mayoría de las rosas inglesas, entre las que se encuentran «Heritage» y «Graham Thomas», tienen flores muy grandes y perfumadas. Entre los rosales miniatura, los de mata y los tapizantes existen, asimismo, rosales antiguos.

10-15 euros
por rasal

(1h)

Rosas en el huerto

Originariamente, los rosales se cultivaban en los jardines, en compañía de las plantas medicinales. El agua de rosas gozaba de una gran reputación por sus virtudes calmantes, y los frutos por sus propiedades reconstituyentes. La belleza de la flor hizo de ella una planta ornamental. Sin embargo, el huerto también es un lugar agradable para plantarlos.

Acciones básicas
Plantar
rosales, p. 8
Catálogo
«Centenaire
de Lourdes», p. 83

¿Qué plantas elegir?

Los rosales arbustivos decorarán las tablas bien ordenadas del huerto. También los puede plantar en las cuatro esquinas del bancal de plantas aromáticas.

❶ «Centenaire de Lourdes».
❷ «Sweet Juliet».
❸ Las patatas «Belle de Fontenay»: una variedad precoz de carne firme.
❹ Los repollos, reconocibles por sus hojas lisas y azuladas.

«Centenaire de Lourdes» y «Sweet Juliet» siguen siendo compactos a 1 m de altura por 80 cm de ancho, aproximadamente, y vuelven a crecer de forma constante.

¿Cómo se hace?

En el huerto, intercale los rosales con hileras de patatas, coles, ajos y alcachofas. Estas verduras producen también bonitas hojas que, en combinación con los rosales, actuarán como elementos ornamentales.

1. **Deje un espacio de 30 cm como mínimo entre las hileras,** así podrá coger las rosas para hacer ramos, cortar las flores marchitas y recolectar las verduras. Si dispone de una gran superficie, intercale una hilera de rosales con dos o tres hileras de verduras.

2. **Empape bien el terrón de los rosales durante al menos 20 min.** Mientras tanto, prepare los hoyos para plantarlos: cada 80 cm, cave un hoyo de unos 40 cm de profundidad. Plante los rosales haciendo coincidir la superficie del terrón con la del hoyo. Practique una pequeña concavidad al pie de cada rosal para facilitar el riego y, a continuación, riéguelos.

3. **Plante patatas en abril** (después de las heladas) para recogerlas al cabo de tres meses. Plante una cada 40 o 50 cm.

4. **Las coles** se trasplantan en octubre del año anterior para que estén maduras en mayo o junio, en el momento en que florecen los rosales. Puede sustituir las coles por fresas y cebolletas, plantadas en marzo.

¿Y después?

La cosecha de las verduras y de las plantas aromáticas se realiza escalonadamente, sin pretender mantener el aspecto estético de las plantas. Sin embargo, si sólo dispone de un bancal de plantas aromáticas, intente cortar primero la parte trasera de las matas para mantener una composición hermosa durante el máximo tiempo posible. Si ha elegido un rosal que fructifica abundantemente, no tendrá que cortar las flores marchitas y podrá recoger los frutos cuando comiencen las heladas.

¡Incorpore plantas aromáticas!

● **La lavanda** es la planta que con más frecuencia acompaña a las rosas. Su fuerte olor aleja a los parásitos. Colóquela en linderos rectilíneos o en círculo, alrededor del rosal.

● **La menta** prolifera con facilidad formando grandes extensiones tupidas si la tierra y la exposición son los adecuados. Prefiere la tierra bastante fresca. Plántela en los lugares donde pueda extenderse gracias a sus rizomas y cubrir el suelo bajo los rosales en forma de arbolillo: «se mueve» sin parar y reaparece por aquí y por allá. Resulta necesario acostumbrarse a su carácter vagabundo.

Las enfermedades y los parásitos de los rosales

La primavera también favorece la aparición de enfermedades y de parásitos en los rosales. Si observa atentamente las hojas y los tallos podrá tomar medidas a tiempo. En todos los centros de jardinería encontrará tratamientos adecuados.

¡Aprenda a identificar las enfermedades y los parásitos!

1. **Las manchas negras** son producto de una bacteria. Aparecen en las hojas pequeñas y negras. Luego se extienden, hasta que la hoja termina por secarse y caerse. Corte enseguida las que estén afectadas y tírelas. Tras el tratamiento, evite mojar las hojas al regar.

Asimismo, **la roya** se desarrolla en las hojas. Se manifiesta en forma de pequeños puntitos anaranjados o de color ocre que, de hecho, son hongos. Trátela y procure que el ramaje del rosal esté bien aireado. Sobre todo, no riegue antes de haber eliminado las hojas afectadas: así evitará la contaminación en la tierra de la superficie. Efectúe una segunda pulverización unas tres semanas más tarde.

2. **El oídio** es la enfermedad más común de los rosales. Se trata de unos hilillos blancos que se extienden por los tallos, las hojas y la base de los capullos. Corte y elimine las partes afectadas y luego aplique el tratamiento. Humedezca bien la tierra regando abundantemente y mantenga dicha humedad mediante un acolchado.

3. **El pulgón** es una plaga corriente. Se concentra en los tallos, en la base de las flores, en los capullos y en las hojas, y chupa la savia, de modo que la planta se debilita. Si la colonia es densa, corte la parte afectada.

Si recurre a un tratamiento insecticida, no vaporice productos sobre las flores abiertas, para proteger a las abejas y a las mariposas.

Consejo

El color amarillento de las hojas no siempre es consecuencia de una enfermedad. Puede ser el resultado de una carencia, una clorosis, frecuente en los terrenos calcáreos. Pulverice o añada al agua de regar un producto específico «anticlorosis», que encontrará en cualquier centro de jardinería. Si tiene alguna duda, coja uno de los tallos afectados y enséñeselo a un jardinero profesional o a un vendedor de un centro de jardinería.

Acciones básicas
Tratar los insectos y las enfermedades, p. 20
Diccionario
Clorosis, p. 101
Insectos, p. 106

Las vivaces amigas de los rosales

Procedente de Inglaterra, la asociación de plantas vivaces y de rosales comporta muchas ventajas. Las primeras adornan el pie de los rosales, protegen la tierra de la sequía y, cuando son perennes, permiten gozar de una estética agradable, incluso en invierno. ¡No lo dude más! Plántelas, obtendrá volumen y una profusión de color.

¿Cómo se hace?

A la hora de elegir deben considerarse dos criterios: el color de las flores y el tamaño de las plantas a las que se asocian. **Una vivaz pequeña** se pone ante un rosal de mata o cubriendo la tierra a su alrededor. **Una vivaz más alta** y frondosa cubrirá el pie desguarnecido de un rosal arbustivo o trepador.

Las grandes vivaces de esbeltos tallos proporcionarán relieve y crearán un gran contraste en un macizo de rosas.

Los geranios vivaces forman matas compactas salpicadas de delicadas flores.

El follaje verde tierno del pie de león es un marco perfecto para un rosal.

¿Qué plantas elegir?

● **El pie de león**, con grandes hojas redondas y suaves y flores de color amarillo anisado en verano, resiste cualquier exposición y favorecerá sobre todo a los rosales arbustivos.

● **Los geranios vivaces** aportan su colorido, su robustez y un desarrollo vigoroso a toda clase de rosales.

● **La nepeta**, de prolongada floración azul, **la salvia** y **la lavanda** casan mejor con los rosales de flores amarillas, rosas o blancas.

● **La espuela de caballero** (*Delphinium*), **las digitales** y los grandes farolillos de volumen imponente deben reservarse para los grandes macizos cercanos a los rosales de estilo antiguo, arbustivos o de mata.

● **El ajo ornamental**, con grandes bolas estrelladas de azul acerado sujetas a tallos delgados, será un gran compañero de los rosales «Amber Queen», «Marie Curie» o «Léonard de Vinci».

● **El orégano amarillo** crea un contraste muy hermoso con los rosales de mata.

(2h)

10-15 euros
por rosal

Rosas a la entrada del jardín

Invitan a entrar en el jardín, a detenerse para admirar sus refinadas corolas, para apreciar su perfume. Decore su entrada con rosas y tendrá el placer de pasar entre ellas a diario.

¿Qué plantas elegir?

❶ Un solo rosal trepador de la variedad «Ghislaine de Féligonde» es suficiente como marco para una entrada. En función de su altura, cae ligeramente desde la parte superior de la tapia o cubre buena parte de su superficie. Precisa de un buen empalizado, ya que da lugar a grandes flores dobles que se benefician de una repartición aireada de las ramas.

No es refloreciente, pero su floración es abundante. Sus flores de color gamuzado claro tirando a marfil forman un agradable contraste con los capullos más anaranjados, y desprenden un perfume delicado.

❷ Tres pies de milamores generarán un bello contraste con el color claro de las rosas y con su estilo refinado. Los milamores se reproducen espontáneamente y contituyen una de las mejores plantas que pueden emplearse para las tapias, tanto en el interior como en el exterior del jardín. Florecen desde mayo hasta octubre.

Otras vivaces pueden completar el decorado. Elija preferentemente plantas perennes como la lavanda o el romero, ya que sus voluminosas matas seguirán alegrando los rincones en invierno.

¿Cómo se hace?

1. **Empape en agua** los milamores y el terrón del rosal mientras prepara los hoyos de plantación.
2. **Plante el rosal** a 30 cm de la pared, luego plante los milamores cada 20 cm. Riegue abundantemente.
3. **A medida que se vaya desarrollando**, empalice el rosal. Ate las ramas sin apretar los lazos: éstos no tienen que «estrangular» las ramas, ya que con el tiempo crecerán. Intente colocar las ramas en posición tan horizontal como sea posible para que produzcan el máximo de flores.

¿Y después?

Elimine regularmente las flores marchitas de los milamores; de este modo, la floración durará más tiempo. Limpie el rosal y acuérdese de despejar el ramaje para facilitar la producción de tallos nuevos muy floríferos. Pode durante el mes de noviembre.

Consejo

Los rosales trepadores son recomendables para tapias muy expuestas al sol. Sin embargo, cuando se encuentren parcialmente a la sombra o les dé el sol únicamente durante algunas horas al día, conviene escoger rosales que puedan adaptarse a esa situación, como por ejemplo «Madame Alfred Carrière», «American Pillar», *Rosa filipes* «Kifstgate», «Bobbie James», «New Dawn», «Golden Showers» y, por supuesto, «Ghislaine de Féligonde».

«Golden Showers».

Acciones básicas
Plantar un rosal trepador, p. 10
Catálogo
«Ghislaine de Féligonde», p. 67
«Mme Alfred Carrière», p. 85
Rosa filipes «Kifstgate», p. 84
«New Dawn», p. 89
«American Pillar», p. 90

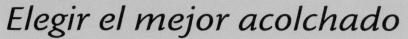

Mayo   S. O. S.   **HERRAMIENTAS:** una regadera y un rastrillo.

10-20 euros
y más... para
100 litros

por m²

Elegir el mejor acolchado

El acolchado impide que crezcan las malas hierbas, al tiempo que protege a la tierra de una evaporación demasiado rápida y de las diferencias de temperatura entre el día y la noche. Además, sirve de abrigo invernal y de abono orgánico. En resumen, resulta indispensable.

¿Qué acolchado elegir?

1. Las pajitas de lino pueden comprarse en los centros de jardinería. Protegen de forma eficaz siempre que se extienda una capa de 8 a 10 cm.

2. Las cáscaras de cacao finas tienen la

ventaja de no modificar el pH (grado de acidez o de alcalinidad) de la tierra cuando se decomponen. Riegue antes de extender una capa de 8 a 10 cm, y luego vuelva a regar. Se pegarán las unas a las otras y protegerán aún con más eficacia la tierra contra la sequía y las malas hierbas.

3. Las cortezas de pino son muy ligeras y, a la vez, constituyen una buena co-

bertura. Échelas a unos 10 cm de altura, sobre todo en los macizos de tierra de brezo, ya que acidifican un poco la tierra al descomponerse. Su descomposición es bastante lenta, lo que permite una protección de larga duración.

4. La paja era originariamente el elemento más usado como acolchado. Desprende calor, pero se descompone con rapidez. Se combina generalmente con hojas secas cuando se utiliza como protección únicamente invernal. Constituye un buen abono orgánico que se entierra en el momento en que se encuentra totalmente descompuesto. La tela de paja, que se vende en rollos, sirve para rodear los rosales frágiles con el objeto de proteger las ramas de las plantaciones jóvenes.

¿Cómo se hace?

Rastrille siempre el acolchado extendido con un rastrillo. Deberá completar o renovar totalmente el acolchado todos los años. Aproveche para binar y airear bien la tierra alrededor de las plantas.

Acciones básicas
Cómo mantener
los rosales, p. 12
Diccionario
Mulch, p. 106
Acolchar, p. 100

Los rosales más perfumados

Además de su belleza, las rosas ofrecen su perfume. Disponga los rosales perfumados en los lugares de paso o cerca de la casa para disfrutar al máximo de su fragancia.

«Cardinal de Richelieu».

¿Cuáles elegir?

● **Las rosas rojas** exhalan los perfumes más embriagadores. Entre ellas, las rosas antiguas ocupan un buen lugar, como «Parfum de l'Haÿ», «Cardinal de Richelieu», «Roseraie de l'Haÿ» y «Jacques Cartier», de color rosa. De las creaciones modernas, «Nuage parfumé» y «Ena Harkness» son rosas rojas muy perfumadas, e «Yves Piaget» posee el perfume más apreciado de una flor rosa oscuro.

● **Las rosas blancas y amarillas** ofrecen aromas más delicados y afrutados. «Jardin de Bagatelle» ha recibido muchos premios, al igual que «Grand Siècle». Las notas cítricas de las rosas «Papi Delbard» y «Jules Verne» son muy características.

¿Cómo se hace?

No se puede elegir un perfume por catálogo. Por lo tanto, deberá ir al vivero o a un jardín para oler de cerca el corazón de las flores.

¿Y después?

Plante las rosas perfumadas en un lugar soleado (por lo menos, durante 8 horas al día), despejado y cerca de la casa o de los lugares de paso. Un cenador constituye un buen lugar para un rosal trepador de perfume afrutado, sin olvidar la entrada del jardín. Tenga paciencia, las rosas solamente desprenden bien su perfume cuando hace calor, por encima de los 22 ºC.

¿De dónde proviene el perfume de las rosas?

El olor de las rosas lo proporcionan los pétalos. Por lo tanto, las rosas dobles son las más perfumadas. El perfume sirve para atraer a los insectos polinizadores y se difunde al liberarse el aceite esencial de las rosas, en el momento de la eclosión de la flor. La paleta de perfumes es muy rica, pasa del afrutado al especiado, del más embriagador al más suave.

«Jacques Cartier».

«Jardin de Bagatelle».

'«Papi Delbard».

€

(2h)

10-15 euros
por rosal
2-4 euros por vivaz

Cascada de rosas en un árbol

A falta de una pérgola, los árboles pueden vestirse con un rosal trepador. Éstos caerán en forma de cascada sobre su improvisado soporte, como en plena naturaleza.

Acciones básicas
Plantar un rosal
trepador, p. 10
Catálogo
«Apple
Blossom», p. 87

¿Qué árbol elegir?

Un árbol frutal al aire libre es ideal, así como un árbol con un tronco grande desprovisto de ramificaciones.

Si tiene un viejo árbol frutal, un arbolito muerto que sigue en pie en el jardín o un tronco hueco, compruebe su solidez y asegúrese de que no está podrido.

Los rosales enredadera producen una vegetación abundante, que se hace cada vez más pesada y que, a medio plazo, puede provocar el derrumbe de los soportes secos o podridos.

¿Qué plantas elegir?

❶ Un rosal enredadera «Apple Blossom»: su perfume, muy afrutado, y el parecido de sus flores simples, de color rosa pálido, con las del manzano, hacen de él un rosal ideal para un árbol frutal. Sus flores decorarán el árbol sobre el que se apoyan.

❷ Dos o tres pies de león, plantados al pie del rosal, darán volumen a la composición y generarán una hermosa armonía cromática.

¿Cómo se hace?

1. **Ponga en remojo** los pies de león y el terrón del rosal mientras prepara el hoyo de plantación, a unos 30 cm del árbol. Lleve a cabo la plantación como en el caso de cualquier otro rosal trepador, inclinando el terrón. **Añada los tres pies del pie de león** a intervalos de 30 cm. Vuelva a tapar y riegue.

2. **Guíe los tallos hacia el tronco** con la ayuda de un pequeño tutor si son demasiado cortos para alcanzarlo, o fijándolos ligeramente a los hilos de empalizado enrollados alrededor del tronco. Deje que el rosal crezca, guiando los brotes nuevos hacia lo alto y hacia las primeras ramificaciones del árbol.

¿Y después?

No ponga acolchados al pie de un rosal, pues favorecería la llegada de los parásitos de la fruta. Riegue abundantemente en verano.

Los rosales enredadera al asalto de los grandes árboles

Los rosales enredadera tienen tanta fuerza que es mejor plantarlos al pie de los grandes árboles, ya que alcanzarán rápidamente su cima. Si se colocan sobre una fachada o sobre un muro, cuestan de dominar y pueden incluso ocasionar daños: ¡sus ramas crecen entre 2 y 3 m al año!

He aquí una selección de rosales cuya vegetación y floración son especialmente espectaculares:

«Albéric Barbier» produce flores dobles de color blanco crema muy perfumadas, sobre un follaje verde oscuro. En climas suaves, puede florecer más de una vez.

«Albertine» es un rosal muy perfumado con flores rosa salmón de aspecto arrugado. No es refloreciente.

«Madame Solvay» da flores dobles de color rosa intenso. Es un rosal refloreciente y tiene un aire de rosal antiguo.

«Paul's Himalayan Musk Rambler» es un rosal refloreciente que produce flores rosa de corola arrugada, las cuales se vuelven blancas al marchitarse.

«Suzon» produce en junio ramos de flores de color rosa gamuzado anaranjado, que se vuelven rosa pálido al marchitarse. Florece una sola vez.

Junio   **S. O. S.**   **Herramientas:** una laya y unas tijeras de podar.

¡Mi rosal en forma de arbolillo rebrota desde el pie!

Del pie de su rosal en forma de arbolillo salen brotes jóvenes. No se equivoque, no van a generar un segundo rosal que pueda trasplantar.

Reconocer los retoños

Los hijuelos (a veces confundidos con los chupones) son retoños que crecen por debajo del patrón de injerto del rosal, ya sea al pie, desde las raíces, o directamente a partir del tronco de un rosal en forma de arbolillo. No hay que dejar que se desarrollen; son más fuertes que la variedad injertada y terminan imponiéndose... lo que da lugar a un escaramujo.

¿Cómo se hace?

1. **Cave con precaución la tierra** alrededor del brote para despejar el punto de nacimiento. Si no llega a verlo, cave todo lo que pueda sin estropear las raíces para cortar el brote al máximo.
2. **Corte el brote a ras de la raíz** a partir de la que crece o, si no le resulta posible, lo más abajo que pueda, con unas tijeras de podar que estén limpias y bien afiladas.
3. **Si se ven brotes jóvenes** en el tallo, córtelos también a ras sin estropear la corteza del tallo. Los únicos brotes que deben crecer son los que nacen entre las ramas del rosal en forma de arbolillo.

¿Y después?

Si el rosal da brotes, significa que tiene la capacidad de producir hijuelos. Deberá observar la posible producción de nuevos brotes, cada año y durante la temporada de vegetación.

Consejo

Los chupones verdaderos son capaces de chupar la savia de los rosales, ya sean éstos de mata, arbustivos o trepadores.

Son ramas rígidas que nacen en la base de los tallos principales o en una ramificación entre dos tallos.

Únicamente producen hojas y se distinguen fácilmente por su crecimiento rápido y vigoroso, anormal en comparación con los demás tallos del rosal. Elimínelos inmediatamente a ras de su punto de nacimiento.

Acciones básicas
Cómo mantener los rosales, p. 12
Diccionario
Chupón, p. 101

€

10-15 euros
por rosal

Rosales para balcones y pequeños jardines

*¿Quiere plantar rosales, pero dispone de poco espacio para instalarlos?
Opte por variedades que crezcan poco y de floración continua,
que mantienen un aspecto compacto en los espacios reducidos.
Se cultivan indistintamente en la tierra o en maceta.*

👁

Acciones básicas
Plantar
rosales, p. 8
Catálogo
«Manou
Meilland», p. 81
«Centenaire
de Lourdes», p. 83
«Symphonie
Lumière», p. 93
Diccionario
Tutor, p. 110

¿Cómo se hace?

1. **Tome las medidas** del macizo y las del espacio disponible en el balcón. Así tendrá una idea de la talla máxima que podrá alcanzar su rosal adulto, es decir, la que indica la etiqueta.

2. **En el balcón,** las macetas adecuadas para los rosales miniatura han de tener como mínimo 30 cm de altura. Para los rosales de mata, calcule una profundidad de entre 40 y 60 cm. Son preferibles las macetas muy altas a las bajas y anchas, para que las raíces se distribuyan bien. Los trepadores poco voluminosos también pueden crecer en macetas grandes o en jardineras, rodeados de algunas vivaces.

La floración del «Comtesse du Barry» se renueva hasta octubre.

Las corolas del rosal «Meg» pueden variar del melocotón al rosa, en función de la madurez de la flor.

¿Qué rosales elegir?

● **Entre los trepadores,** «Meg» es un rosal refloreciente, resistente a las enfermedades. Produce una vegetación compacta de 2,5 m de altura y 1,20 m de anchura. Sus flores son semidobles y muy perfumadas.

● **Entre los de mata,** «Comtesse du Barry» presenta una silueta densa y compacta de 60 cm de altura y otros tantos de anchura. Sus flores dobles, de color amarillo azufre, se renuevan continuamente. «Manou Meilland» y «Centenaire de Lourdes» también son adecuados para los macizos pequeños o medianos y para los balcones bastante grandes. «Symphonie Lumière» tendrá suficiente con una jardinera profunda o con un lindero estrecho a lo largo del camino.

¿Y después?

Los rosales en forma de arbolillo, tanto en maceta como en pequeños macizos, constituyen excelentes decorados. Necesitan bastante distancia para beneficiarse del sol y redondearse generosamente por todos lados. En los jardines pequeños, compruebe que las paredes y los edificios dejan entrar el sol en el lugar donde se van a plantar.

40

10-15 euros
por rosal
2-4 euros por vivaz

Una pérgola cubierta de rosas

Una pérgola es el soporte ideal para los rosales enredadera y para los grandes trepadores, y permitirá disfrutar del aspecto de las rosas y de su perfume en un camino o en una terraza.

¿Qué plantas elegir?

❶ Un rosal enredadera «American Pillar», resistente y exuberante. Las flores son de color rosa carmín con un corazón blanco. Es muy vigoroso y florece en abundancia en junio; luego no vuelve a hacerlo. Por esta razón y para que el resto de temporada esté animado, conviene asociarlo con otro rosal de floración continua y con una clemátide.

❷ Un rosal trepador «Raymond Chenault», con grandes flores semidobles agrupadas en ramos, de color rojo intenso. Desprenden un perfume delicioso y se abren desde la primavera hasta finales de verano. La planta, en conjunto, es muy rústica y presenta una gran resistencia a las enfermedades. Llega a alcanzar unos 3 o 4 m de altura.

❸ Una clematita *C. x jackmanii* con grandes flores estivales, de un morado profundo, es perfecta para garantizar un hermoso contraste con los rosales.

Un único pie es suficiente para no crear demasiado volumen y correr el riesgo de ensombrecer el lugar. Los rosales precisan el máximo de sol.

❹ Varios pies de boj que deben podarse en redondo y disponerse en linderos para crear un marco de estilo clásico en la pérgola.

Si prefiere conservar una composición más natural, sustituya el boj por vivaces generosas, como el geranio, o más flexibles, como la nepeta.

¿Cómo se hace?

1. **Espacie los pilares** de la pérgola unos 1,5 m si la construye usted mismo, o compre un modelo equivalente. Fije sólidamente los pilares en el suelo.
2. **Empape en agua** todos los terrones durante 20 min.
3. **Plante un rosal en cada pilar**, a ambos lados de la pérgola.
4. **Plante un pie de clematita** alternando con los rosales.
5. **Ate los tallos de los rosales** con la ayuda de cuerda flexible de rafia o de plástico, sin apretar demasiado para que la rama no se estropee al crecer, y guíe cada brote en la dirección deseada a lo largo de los pilares y las traviesas de la pérgola.

6. **Plante el boj** de macizo en lindero.
7. **Riegue bien** el conjunto.

¿Y después?

Pode el «American Pillar» después de la floración, y «Raymond Chenault» únicamente a finales de invierno. Lleve a cabo la limpieza de la clematita cortando los tallos viejos.

Pode el boj una o dos veces al año, de la primavera al verano. Para despejar el ramaje, espere al otoño y corte por varios sitios los tallos que quiere eliminar para poder retirarlos, sin dañar a los restantes.

Ate las ramas a su soporte con rafia sin apretar demasiado.

Acciones básicas
Plantar un rosal trepador, p. 10
Catálogo
«American Pillar», p. 90.
Diccionario
Empalizado, p. 103

En verano

Recoger rosas para hacer ramos

Para prolongar el placer de las rosas del jardín hasta dentro de casa, no dude en formar ramos. Cultive variedades de grandes flores y otras de flores agrupadas, para poder unir los estilos.

«Alphonse Daudet».

¿Qué rosales elegir?

● **Los rosales de flores grandes** sobre tallos erguidos proporcionan excelentes flores para cortar: «Jardin de Bagatelle», «Christophe Colomb» y «Jules Verne» favorecerán hermosas composiciones. «Alphonse Daudet» e «Yves Piaget» exhibirán el encanto de las rosas antiguas.

● **Los rosales de flores agrupadas** permiten también realizar magníficos ramos campestres. No olvide los rosales «Heritage», «Marie Curie», con su perfume delicado, o «Blush Noisette», poco espinoso.

¿Cómo se hace?

1. **Para poder recoger flores cada semana** sin desequilibrar los macizos, cultive tres o cuatro rosales en el huerto, si tiene, o en una parcela reservada a las flores destinadas a ser cortadas.

2. **Recoja las rosas al principio de la eclosión,** cuando el capullo empieza a abrirse, por la mañana temprano. Se abrirán en el jarrón. Use unas tijeras de podar bien afiladas y corte siempre por encima de una hoja: de ella nacerá un nuevo brote.

3. **Deshoje los tallos** al máximo y practique hendiduras en las extremidades si son gruesas: la rosa resistirá más tiempo.

¿Y después?

Podrá asociar sus rosas con otras flores como la lavanda, el gladiolo, la azucena, el lirio y el ranúnculo, y componer una infinidad de ramos. Para realizar hermosos ramos llenos de encanto, envuelva cinco o seis rosas «Perle Noire» o

«Yves Piaget».

«Christophe Colomb».

«Crimson Glory» con *Gypsophila paniculata*. El efecto será espectacular. Para composiciones originales, recoja también algunas ramas con frutas a finales de verano.

«Heritage».

10-15 euros
por rosal

Rosales para adornar los linderos y taludes

Para formar linderos o cubrir taludes, hay que elegir bien los rosales. Algunas variedades demasiado vigorosas son difíciles de dominar para formar linderos. En cambio, esta exuberancia se agradecerá en los taludes. Elija los rosales teniendo muy en cuenta el carácter del lugar que ocuparán.

¿Qué tipo de rosal elegir?

Un rosal de porte esbelto mantiene bien su posición y rodea impecablemente los macizos. En cambio, para bordear un pequeño camino y darle un aspecto atractivo, es preferible el aspecto esponjoso de los rosales miniatura o de los pequeños rosales de mata. En los taludes, los rosales tapizantes muy tupidos, que alcanzan grandes extensiones, no tienen parangón.

¿Qué rosales elegir?

● **Para los linderos,** elija los rosales de flores en ramilletes. «Raubritter», el doble de ancho que de alto, caerá graciosamente desde un lindero elevado.

«Amber Queen» tiene todo para gustar: un follaje muy sano, unas flores muy perfumadas y, sobre todo, ¡es muy rústico!

«The Fairy» es un rosal que florece sin parar hasta octubre, y del que se pueden conseguir fácilmente esquejes.

«Bordure Nacrée» y «Bordure Rose» se mantienen muy tupidos y regulares al bordear un macizo. «Amber Queen» es perfecto para lindar con un bosquecillo arbustivo. «Fée des Neiges», de vegetación compacta, es ideal para bordear un camino.

● **Para los taludes,** es preferible una vegetación muy amplia. «Max Graf», que cubre fácilmente de 2 a 3 m², será perfecto para los taludes grandes, mientras que «Lavender Dream» quedará bien en los estrechos. «The Fairy», robusto, extenderá sus racimos de rosas sobre 1 m².

Consejo

Si se quiere conseguir una cobertura muy densa, pode los rosales tapizantes únicamente cada dos o tres años. En los pequeños linderos, pode ligeramente cada año los rosales de mata o despúntelos, según la variedad.

10-15 euros
por rosal
2-4 euros por vivaz

(2h)

Componer un macizo con rosas

La ventaja de esta composición es que puede realizarse en un pequeño jardín. La organización ha de ser rigurosa y la planificación muy estudiada. Prepare su plan y sus combinaciones con antelación. Así, el resultado será más espectacular.

¿Qué plantas elegir?

❶ **Dos rosales «Iceberg»,** muy resistentes: florecerán desde la primavera hasta las primeras heladas. Las rosas, dobles y muy blancas, tienen un ligero perfume.

❷ **Un rosal amarillo,** de floración continua, como «Golden Delight», «Amber Queen» o «Alphonse Daudet».

❸ **Pies de** *Hemerocallis* **híbrido (tres macetitas),** naranja o amarillo, que florecerán durante toda la estación estival.

Son plantas fáciles de cultivar que aceptan cualquier tipo de tierra, muy adecuadas para los macizos.

❹ **Pies de león (2 macetitas),** para dar volumen al suelo. Esta vivaz, de follaje generoso, proporciona flores de color amarillo anisado en junio y julio.

❺ **Vivaces tapizantes enanas (de 6 a 8 macetitas),** para bordear el macizo bajo los rosales, alternando la búgula menor «Multicolor» de flores violeta con la pulmonaria, de floración primaveral, pero con bonitas hojas tupidas.

❻ **Un altramuz híbrido violeta o un farolillo grande,** para crear un contraste de color y relieve en el macizo.

❼ **Un boj podado en forma de bola:** sirve como contrapunto al macizo de rosas demasiado abigarrado.

¿Cómo se hace?

1. **Disponga todas las plantas** en la maceta sobre el lugar que ocuparán para visualizar el efecto general.
2. **Espacie los rosales** entre 1 y 1,20 m, y las vivaces entre 40 y 60 cm. Deje entre 30 y 50 cm entre el límite del jardín (barrera, alambrada o muro) y las plantas para avalar un buen desarrollo.
3. **Ponga todas las plantas en remojo** (durante 20 min aproximadamente) y cave los hoyos de plantación.
4. **Plante primero los rosales** y luego las vivaces.
5. **Riegue abundantemente** y después de forma regular, siempre al pie de las plantas. Si se marcha durante el verano, instale un sistema de riego automático con una manguera perforada que serpentee entre los pies de las plantas, la cual dependerá de un programador.

6. **Elija una maceta bonita** en la que pondrá su boj en forma de bola, y colóquela como contrapunto al macizo de rosas.

¿Y después?

Una composición como ésta debe recibir un mantenimiento regular. Corte las flores a medida que se marchiten, para conservar un aspecto limpio y favorecer que vuelvan a florecer con regularidad. En otoño, retire las vivaces y bine el conjunto del macizo. Abone la tierra una vez al año. Bine y pode los rosales a finales de invierno.

Recuerde que debe cavar una pequeña concavidad al pie de los rosales recién plantados, para facilitar el riego y optimizar los aportes de agua.

Acciones básicas
Plantar
rosales, p. 8
Catálogo
«Fée des Neiges»
(Iceberg), p. 78
«Alphonse
Daudet», p. 73
«Amber
Queen», p. 79

En verano ⌐ 45

CALENDARIO

10-15 euros
por rosal

(1h)

Una bonita fachada

¿Existe algo más elegante que los rosales para vestir su casa? Aunque todos los rosales agradecen que les dé el sol, algunos trepadores antiguos se adaptan incluso a las fachadas peor orientadas.

Acciones básicas
Plantar un rosal trepador, p. 10
Diccionario
Empalizado, p. 103

¿Qué rosales elegir?

Elija preferentemente rosales perfumados, cuyo aroma inundará la casa en las tardes de verano, cuando tenga las ventanas abiertas.

Luego, tenga en cuenta el color de la pared y de las ventanas: las flores rojas o rosas contrastarán con una fachada de color claro, las rosas blancas o amarillas iluminarán las piedras antiguas.

❶ Un rosal «Madame Isaac Pereire». Entre los trepadores rústicos, este rosal se adapta a una insolación media y florece hasta septiembre. De vegetación bastante floja, llega hasta los 2,5 m de altura y sus grandes flores exhalan un perfume delicioso.

❷ Un rosal enredadera «Albertine». Este rosal florece una sola vez, pero su floración es exuberante. Puede extenderse mucho y desarrollarse sobre toda la fachada. Su flor doble de color rosa salmón es muy perfumada. También le bastará poco sol, e incluso una tierra pobre.

¿Cómo se hace?

1. Fije un enrejado de cuadrados o hilos de empalizado extendidos horizontalmente en la fachada, con la ayuda de alcayatas. Espácielos unos 50 cm aproximadamente.

2. Coloque en su lugar los rosales siguiendo los pasos de la plantación de trepadores. Ponga en remojo los rosales en un cubo de agua durante unos 20 min. Cave los dos hoyos de plantación a una distancia mínima de 30 cm de la fachada. Espácielos 2 m o plántelos uno a cada lado de la puerta o de la ventana. Con una laya, mulla bien los lados y el fondo de cada hoyo para facilitar el arraigamiento.

Coloque los rosales inclinados en su hoyo, de modo que formen ángulo con la fachada. Calce los rosales formando un montoncito de tierra. Oriente el terrón o las raíces del rosal hacia el lado opuesto a la fachada.

Cuando los rosales estén en su sitio, el cuello, situado justo debajo del patrón de injerto, debe estar al nivel del suelo. Apriételo con el pie y practique una pequeña concavidad para el riego.

Riegue y guíe los tallos hacia los hilos de empalizado.

3. Ate los tallos a los hilos de empalizado sin apretarlos. Use hilo de color verde, invisible entre el follaje, o rafia, aunque no será tan sólida. El hecho de acodillar las ramas y conducirlas lo más horizontalmente posible reducirá la subida de savia y permitirá una mejor floración. En el transcurso de la temporada, ate los brotes jóvenes a medida que vayan saliendo, antes de que se enreden con los demás tallos.

4. Para cubrir la fachada de forma homogénea, guíe los tallos principales hacia arriba sobre el perímetro de las ventanas, y luego arquee las ramificaciones para que se extiendan lo máximo posible y todas se beneficien del sol.

¿Qué tipo de empalizado elegir?

Contra una pared, el sistema menos costoso consiste en fijar clavos en la fachada y extender alambres. Esta solución tiene la ventaja de ser discreta, ya que el follaje disimula los hilos con rapidez. Un enrejado requiere más mantenimiento (habrá que volver a pintarlo) y es más caro.

¿Y después?

Arregle el empalizado de los rosales cada año tras podarlos y despejarlos. Abónelos con un buen abono orgánico una vez al año y riegue regularmente, ya que el reborde del tejado puede impedir que la lluvia humidifique bien la tierra al pie de la fachada.

EN OTOÑO Y EN

Plantar

Fertilizar

Mantener

Podar

Tratar

Proteger

NVIERNO

Otoño	Invierno
Empiece a plantar los rosales que haya comprado a raíz desnuda. Siga plantando los que haya comprado en maceta. Prepare el terreno para las plantaciones de invierno y de primavera.	Cuando el tiempo lo permita, prepare sus macizos y los hoyos de plantación para incorporar abono orgánico. No dude en plantar los rosales a raíz desnuda, excepto en los períodos de heladas. Si no, póngalos en una zanja para renuevos.
Extienda una buena capa de compuesto en la tierra, o de estiércol bien descompuesto, después de haber regado.	Añada abono «especial para rosales» y labre la tierra.
Corte las flores de los rosales de más de una floración a medida que se marchiten. Limpie el suelo de los macizos. Bine y retire los residuos vegetales. Elimine los residuos de la poda, para evitar la contaminación de la tierra o del montón de compuesto.	
Realice una poda de limpieza, para eliminar los tallos muertos y despejar el ramaje. Para los adeptos a la poda de otoño, recorte los tallos según la especie y su silueta. Siga suprimiendo los brotes y los chupones si los ve.	Corte los frutos que hayan empezado a pudrirse o a secarse. Suprímalos totalmente en las variedades que tienen pocos.
Vigile los últimos ataques de roya, oídio y manchas negras.	
Forme montoncitos de tierra para proteger los rosales si refresca de repente.	Proteja sus rosales formando montoncitos de tierra que cubran el pie. Si el tiempo es muy frío, coloque un acolchado y envuelva las ramas con tela. Si nieva mucho, ate las ramas uniéndolas ligeramente con el centro del rosal para que no se rompan.

En otoño y en invierno 〜 49

10-15 euros por rosal · 1h por m lineal

Plantar una hilera de rosales

Según el estilo que adopte en su jardín, puede elegir entre una hilera libre compuesta por rosales «Robin Hood» y una hilera podada con rosales pimpinellifolia. No obstante, dé prioridad a los rosales de floración continua o a los rosales botánicos, que se cubren de frutos hasta la mitad del invierno.

«Robin Hood» florece hasta otoño y forma hileras voluminosas, perfectas para un jardín natural.

4. Rastrille entre los pies para igualar y riegue abundantemente para que la tierra se ponga en su sitio.

¿Y después?

Coloque un acolchado en la hilera para reducir la proliferación de las malas hierbas. No pode la hilera libre, basta con limpiarla regularmente cortando las flores marchitas y repasando las ramas demasiado indisciplinadas.

En la hilera regular, realice la poda en noviembre igualando las ramas que quiera conservar.

Estos rosales pimpinellifolia «Double White» han sido podados en extremo para dibujar una hilera tupida y regular.

¿Cómo se hace?

1. Si compra muchos rosales para formar la hilera, cómprelos a raíz desnuda, así le saldrán más baratos. Laye la tierra en profundidad y, si es necesario, abónela.

2. Planifique la plantación en dos líneas, para disponer los rosales al tresbolillo. La hilera será más tupida. Deje entre cada rosal el espacio recomendado en función de la variedad (de 60 cm a 1,20 m en la misma línea y de 40 a 80 cm entre las dos).

3. Cave hoyos lo suficientemente grandes para que las raíces desnudas de los rosales estén cómodas, mullendo bien la tierra del fondo. Coloque los rosales con el patrón de injerto por encima del nivel del suelo (un palo de madera colocado sobre el hoyo le permitirá comprobar el nivel). Llene el hoyo con la tierra del jardín.

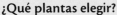

HERRAMIENTAS: una laya, una regadera e hilo de empalizar.

10-15 euros
por planta
trepadora

Las plantas trepadoras, compañeras de las rosas

La asociación de una planta trepadora con un rosal suele ser muy agradecida. Da cuerpo a la masa vegetal, y las flores de colores y formas diferentes contrastan agradablemente.

¿Qué plantas elegir?

● Entre las trepadoras, **las clemátides** se llevan la palma. El gran éxito de esta asociación se debe a la forma de sus flores planas y anchas, de tonos vivos, que contrasta admirablemente con la redondez de las rosas. Elija preferentemente grandes clemátides de floración estival, o una mediana primaveral, como «Vidoe», cuyo rojo oscuro combina a la perfección con las rosas blancas.

● **La madreselva** casa con los rosales arbustivos y de mata, que adornarán su base sin competir con ella. En lo alto, acompañe la madreselva *L.* x *brownii* o *L.* x *heckrottii* naranjas y amarillas con el rosal «Veilchenblau», muy vigoroso.

● En un clima suave o en una zona resguardada, el **jazmín blanco** acompañará a todos los rosales de estilo antiguo o moderno, como «Pierre de Ronsard».

● En las regiones meridionales, el **jazmín azul** y el *montodendron* (un arbusto que sirve para empalizar), cuyas flores amarillas parecen rosas simples, armonizarán con las rosas blancas.

¿Cómo se hace?

1. Ponga en remojo la mota de las plantas durante 20 min.
2. **Plante todas las trepadoras,** los rosales incluidos, dejando un espacio mínimo de 30 cm entre ellas y su soporte. Incline los terrones para plantarlos en diagonal, orientando las raíces hacia el lado opuesto a su soporte, de modo que tengan sitio para desarrollarse.

Para cubrir una pared, disponga el rosal y la planta trepadora que haya elegido a 1,50 m de distancia. Si deja menos espacio, dirija bien el empalizado hacia los lados opuestos. En una pérgola, basta un pie por pilar, igual que para vestir un cenador: coloque el rosal y la planta trepadora a uno y otro lado de la estructura; se unirán rápidamente.

¿Y después?

Durante toda la floración, limpie y riegue con regularidad. En otoño, desenrede los tallos que estén demasiado enredados y empalice. A finales de invierno, pode el rosal y retire los tallos muertos de las clemátides.

El rojo oscuro de la clemátide «Niobe» crea un gran contraste con los tonos rosa tierno de «Zéphirine Drouhin».

Acciones básicas
Plantar un rosal trepador, p. 10
Diccionario
Empalizado, p. 103

En otoño 51

CALENDARIO

10-15 euros
por rosal
2-4 euros por vivaz

Un rosal en un arriate al estilo inglés

Le gustan los arriates al estilo inglés, que reúnen una gran cantidad de plantas. La abundancia del follaje y la diversidad entre las especies no deben hacerle olvidar que hay que respetar las distancias y controlar regularmente el desarrollo de cada una de ellas. Plantar y cuidar es la mejor regla.

Acciones básicas
Plantar
rosales, p. 8
Cómo mantener
los rosales„ p. 12
Catálogo
«The Fairy», p. 94

¿Qué plantas elegir?

❶ Un rosal de mata abundante y vigoroso, de tamaño medio o pequeño para no aplastar las otras plantas. «The Fairy» es muy adecuado, ya que no pasa de los 80 o 90 cm de altura y, en cambio, se extiende hasta 1,50 m de ancho. Los arriates largos están hechos para él. Entre otras elecciones posibles, recuerde «Félicia» y «Opalia». Este último resiste cualquier situación y florece en gran cantidad. Sus rosas blancas en ramilletes soportan muy bien la intemperie.

❷ Ortigas (3 macetitas): esta planta robusta no requiere ningún cuidado concreto. Su follaje manchado de blanco, veteado de plata o dorado, es muy decorativo. Las flores aparecen en la estación de primavera, antes de la eclosión de las rosas.

❸ Una tradescantia es una planta vivaz de segundo plano que romperá con el colorido del rosal. Posee un follaje estrecho y tallos largos salpicados de ramilletes de flores de un color vivo, azul, violeta, rojo o blanco, y una forma muy original. Florece entre los meses de mayo y octubre.

¿Cómo se hace?

1. **Ponga en remojo** todas las plantas durante 20 min.
2. **Prepare bien el arriate** antes de la plantación, eliminando las malas hierbas y binándolo.
3. **Cave los hoyos** de plantación.
4. **Plante el rosal** y luego las ortigas y la tradescantia.
Complete el arriate con plantas anuales que se siembran en mayo.

¿Y después?

Si planta muchos rosales, no olvide que debe separarlos por lo menos 1 m. En un arriate largo, la mejor distancia son unos 2 m o más.

Realice regularmente el mantenimiento de los rosales, cortando las flores marchitas y eliminando los chupones y los tallos demasiado rebeldes. Pode el rosal a finales de invierno. En verano, mantenga la tierra lo bastante húmeda regando con frecuencia.

Los cosmos se plantan en el mes de mayo. Estas plantas anuales generosas pueden rellenar cualquier espacio libre que quede en su macizo.

Octubre | *Flechazo*

10-15 euros
por rosal

Rosales con frutos decorativos para alegrar la estación fría

Estos rosales prolongan la floración con sus frutos brillantes y apetecibles. Plante por lo menos uno, le sorprenderá por su atractivo decorativo desde el verano hasta mitad de invierno.

Las bayas de la Rosa rugosa «Scabrosa» *son redondas y muy brillantes.*

¿Qué rosales elegir?

Puede elegir entre los rosales que aúnan un follaje de color intenso en otoño con frutos decorativos, de este modo el efecto será más espectacular.

● En esta categoría, los rosales *Filipes «Kiftsgate», Rosa pimpinellifolia y Rosa glauca* son los que ofrecen más ventajas. El primero fructifica en una multitud de pequeñas bayas rojas, el segundo ofrece grandes frutos redondos de color rojo oscuro, tirando a negro, y el tercero se cubre de racimos de frutos negros.

● Los frutos más extraordinarios son los de *Rosa moyesii,* grandes, rojos y en forma de calabaza, y los de *Rosa pomifera,* porque parecen tomates cereza. La variedad «Alba» de *Rosa rugosa* da frutos bien desarrollados, de color rojo brillante, mientras que los de *Rosa longicuspis* son muy alargados, en forma de botella anaranjada. «Hansa» y «Complicata» unen la gran robustez de la planta con una fructificación muy decorativa.

¿Cómo se hace?

Para aprovechar la fructificación de los rosales, la única condición es no cortar las flores marchitas. En un rosal de mata o en un pequeño arbusto, podrá retirar delicadamente los pétalos secos de uno en uno tirando por encima, pero en los trepadores y en los enredadera, deje que la naturaleza siga su curso y espere sabiamente la fructificación.

¿Y después?

Todos estos frutos son comestibles, aproveche para cogerlos e intente elaborar con ellos la mermelada de baya de rosal.

Espere a la primera helada para cogerlos, ya que estarán más tiernos, y deje una parte en la planta para los pájaros, que se alimentan de ellos en invierno.

Un rosal enredadera mezclado con «Euphorbes»: los frutos y el follaje componen una armonía otoñal muy sutil.

10-15 euros
por rosal

¡Comprar un rosal es complicado!

Entre primavera y otoño, se pueden comprar rosales en recipientes, con o sin flores. Es la solución más sencilla para empezar. De noviembre a abril, pueden adquirirse rosales a raíz desnuda, que se mandan por correo. En ese caso, la plantación requiere un mayor cuidado.

Diccionario
Compra, p. 101
Raíz
desnuda, p. 107

A principios de verano, puede comprar los rosales en recipientes en flor: de este modo, podrá valorar los colores para integrar mejor el rosal en el macizo ya existente.

los reciba para comprobar que están en buen estado: las raíces deben estar húmedas y sanas, sin señales de podredumbre, las ramas intactas y nunca rotas. **Si nota alguna anomalía**, llame al vendedor y siga sus consejos o devuelva el rosal si evidencia que no ha resistido bien el viaje. **Plante estos rosales cuanto antes** después de recibirlos. Si ha de esperar al día siguiente, consérvelos en el musgo que envuelve las raíces, en un lugar fresco. Si el hielo está causando estragos y retarda la plantación varios días, póngalos en una zanja para renuevos en el jardín.

Los recipientes disponibles en un centro de jardinería o en un vivero

En función de sus necesidades, ya se trate de rosales arbustivos o trepadores, **no dude en pedir consejo al vendedor**, que deberá informarle de las condiciones de cultivo. Luego, **examine los rosales** y cuente las ramas principales (bastan entre tres y cinco), que han de estar bien ramificadas o tener capullos bien formados. **Fíjese en las hojas**, por encima y por debajo, para comprobar que no hay parásitos. No compre una planta que tenga hojas manchadas, amarillas o secas. En otoño, el rosal no tiene flores y llueve a menudo: se adaptará fácilmente al jardín. En primavera, el rosal está florido y habrá que regarlo durante todo el verano para que no sufra y arraigue bien.

Los rosales a raíz desnuda que se envían por correo

Consulte los catálogos de los floristas o de los viveros especializados en rosas, que ofrecen todo tipo de rosas para elegir. **Desembale los rosales en cuanto**

Desembale inmediatamente los rosales comprados por correspondencia para valorar su calidad.

€
10-20 euros
por rosal

Los arbustos que revalorizan las rosas

Los arbustos son indispensables para dar volumen, y pueden ocupar un lugar de honor al lado de los rosales, siempre que no les priven del sol.

Juegue con los efectos de las hojas, como con esta abelia «Confetti».

¿Qué arbustos elegir?

● Las rosas amarillas ganan mucho si están acompañadas por un fondo púrpura o verde brillante con reflejos cobrizos. **Un avellano púrpura, un berberis rojo o un cornejo florido** crearán un fondo ideal. Al lado de un **celindo** o de una **abelia**, formarán una imagen muy agradable.

● Los rosales que van del blanco nacarado al rosa vivo combinan bien con los arbustos de floración blanca, rosa o amarilla clara, y con los follajes glaucos, como *Lavatera trimestris*. También creará una hermosa combinación plantando rosales de color rosa tierno a carmín con *Ceanothus* estivales, azules o rosa, de silueta algo imprecisa. En el caso de los rosales clásicos y de los bancales bien ordenados, elija **el boj** para enmarcar los rosales, y los perennes podados en forma de seto.

¿Cómo se hace?

Dispóngalos respetando las distancias necesarias entre los arbustos y los rosales, ya que su desarrollo adulto será mucho más imponente que el que presentan en el momento de plantarlos. Si es necesario, pida consejo a la hora de comprarlos. Recuerde que debe regarlos abundantemente y con regularidad, ya que los arbustos absorben más agua que los rosales.

¿Y después?

Realice una buena limpieza anual de su composición binando la tierra para airearla y retirando los residuos vegetales que hayan caído al suelo. Despeje el ramaje de los arbustos y de los rosales, y

Los tonos de algunas Lavateras combinan bien con los rosales más pálidos.

procure que no se estorben entre ellos. Añada un buen abono orgánico.

Para una combinación de color más viva, elija por ejemplo un Ceanothus «Dark Star».

Acciones básicas
Cómo mantener
los rosales, p. 12

56

10-15 euros
por rosal

Los rosales botánicos

*Son los primeros híbridos obtenidos en cultivo. En el jardín, potencie
su carácter campestre. Precisan poco mantenimiento y normalmente
se conforman con cualquier tipo de tierra.*

Acciones básicas
Plantar
rosales, p. 8
Catálogo
Rosa rugosa, p. 69
*Rosa
moyesii*, p. 71.
Diccionario
Botánico (rosal),
p. 101

¿Qué rosales elegir?

● **Para las hileras,** el más resistente es, sin duda, *Rosa rugosa,* disponible en rojo y en blanco, muy voluminoso; *Rosa carolina* florece de color rosa en junio, y luego fructifica a finales de verano. Su follaje espeso y brillante se mantiene muy sano. *Rosa omeiensis,* conocido también con el nombre de *Rosa sericea pteracantha,* sorprende por el tamaño poco habitual de sus espinas rojas y traslúcidas a la luz del sol. No los hay más

disuasivos si se trata de una hilera usada como valla, pero puede cultivarse como arbusto ornamental o como pequeño trepador para empalizar.

● **Como fondo de un macizo,** Rosa moyesii «Geranium» se ve enseguida gracias a sus flores rojas o anaranjadas. No es refloreciente, pero experimenta una fructificación extraordinaria. *Rosa hugonis,* con flores amarillo canario repartidas entre las ramas, produce un efecto muy hermoso en mayo y junio.

● **En los arriates,** asociado con otras plantas, *Rosa moschata,* el rosal almizclado, tiene un porte ligero. Florece durante toda la temporada hasta otoño, con corolas simples blancas muy perfumadas. La rosa gálica, *Rosa gallica officinalis,* la más conocida después de las cruzadas, produce flores rojas dobles, muy perfumadas pero no reflorecientes. Su altura media (entre 1,20 y 1,50 cm) permite utilizarla en los macizos poco extensos. Finalmente, para los coleccionistas y los amantes de las rosas antiguas, *Rosa centifolia* abre sus cien pétalos entre junio y agosto, a aproximadamente 1,20 m de altura.

● **En un muro** más largo que ancho, empalice *Rosa wichuraiana,* cuya vegetación tupida se cubre en julio de flores blancas, seguidas por pequeños frutos de color rojo oscuro apreciados por los pájaros. Puede trepar o servir como tapizante cuando no está atado.

Los pétalos de la Rosa centifolia *son espectaculares.*

*La rosa gálica goza de una gran
reputación gracias a su perfume.*

10-15 euros
por rosal

El encanto de los rosales con flores simples

Tiene el encanto de las rosas salvajes de nuestra tierra, de la gavanza de los caminos campestres y de los jardines antiguos. Su flor abre ampliamente sus cinco pétalos bajo un ramo de estambres por lo general muy prominentes. Tenga al menos una de estas variedades en su jardín, su rusticidad las hace fáciles de cultivar.

«Golden Wings»

La belleza de sus flores, abiertas entre junio y octubre, atrae todas las miradas. Reforzado por estambres de color marrón dorado, el amarillo luminoso del centro de las corolas se vuelve amarillo cremoso en el borde. Desprende un agradable perfume durante toda la temporada. Este rosal, con su 1,50 m de altura, forma hermosas hileras, se asocia con los macizos arbustivos bordeados de plantas vivaces y toma posición cerca de la casa para iluminar la fachada. Crece sin exigencias concretas y ha de podarse un poco cada año.

«Ballerina»

Este arbusto goza de muy buena reputación desde su obtención, en 1937. Con una altura de entre 1 y 1,20 m, se cubre de pequeñas flores rosas con el centro blanco. Su vegetación voluptuosa se contenta en macetas o en la tierra, en macizos o en hileras, y resiste las tierras más pobres y las exposiciones al sol más variadas. La floración es continua de junio a otoño y, si se cortan los ramilletes marchitos, la refloración puede prolongarse bastante. Con el tiempo, puede perder follaje en el pie: entonces, plante cerca de él unas cuantas vivaces tapizantes.

«Pimprenelle»

Es una de las últimas obtenciones de la casa Delbard. Combina una excepcional cantidad de flores con un porte arbustivo muy voluminoso y un aspecto casi salvaje. Este rosal ilumina el jardín con sus pétalos amarillo brillante colocados en dos filas, que enmarcan los estambres anaranjados. Su desarrollo, a 80 cm de altura, ofrece la posibilidad de utilizarlo en pequeños macizos, bordeando un camino o en un rincón de la terraza. También crecerá en una maceta lo bastante profunda, en un balcón soleado y con poco viento.

Diccionario
Flor, p. 104

€

10-15 euros
por rosal

En invierno, rosales de follaje coloreado

Presentan un follaje otoñal espectacular, que va del verde al dorado, al anaranjado o incluso al rojo oscuro, o bien originales hojas tipo rosal, azuladas tirando a púrpura todo el año. Aproveche esta oportunidad para enriquecer su jardín y piense en qué rosales elegir.

👁

Acciones básicas
Plantar
rosales, p. 8
Catálogo
Rosa rugosa, p. 69
Rosa glauca, p. 68
Diccionario
Hoja, p. 105
Tipo, p. 110

Follajes hermosos en otoño

El *Rosa nitida* ofrece un bonito tono dorado luminoso que se transforma en rojo carmesí vivo. Este arbusto florece en color rosa puro y mide 1 m de altura por 1 m de anchura. Crece en tierras de normales a pobres.

Rosa pimpinellifolia presenta numerosos y minúsculos folíolos que adquieren los más bellos tonos naranja y púrpura, para terminar casi en morado. Sus flores simples de color amarillo dorado han dado origen a híbridos excepcionales, como «Golden Wings».

Los rosales *R. rugosa*, botánicos e híbridos como «Roseraie de l'Haÿ», presentan un follaje de aspecto rugoso muy amarillo en otoño.

Follajes hermosos todo el año

Son propios de dos rosales muy concretos y espectaculares. *Rosa mutabilis* presenta un follaje que permanece verde y azul muy oscuro. Durante el buen tiempo, se cubrirá de flores simples de color miel, rosa anaranjado y rosa oscuro, en un mismo pie. *Rosa glauca* tiene hojas rojas y da flores simples de color rojo.

¿Con qué plantas combinarlos?

Cree una imagen luminosa combinando un rosal de follaje azulado como *Rosa mutabilis* con vivaces campestres. El pie de león, *Coreopsis*, *Anthemis* y la milenrama florecen de color amarillo; la coronaria y el geranio, rosa carmín; la espuela de caballero, la salvia y el farolillo, violeta vivo.

Rosa glauca *es un rosal de extrañas hojas azuladas sombreadas de gris y de púrpura.*

En otoño, el follaje de Rosa nitida *se vuelve rojo carmesí.*

10-15 euros
por rosal
2-4 euros por vivaz

Habilitar una pequeña rosaleda

La estructura geométrica de una rosaleda clásica aporta una hermosa disposición al jardín. Para evitar que el conjunto sea demasiado riguroso, bordee las rosas con lavandas, cuya floración y follaje aportarán una nota original.

Acciones básicas
Plantar
rosales, p. 8
Catálogo
«Swany», p. 91

¿Qué plantas elegir?

❶ **Lavandas**, compradas en una maceta de 1 l, por lo menos. Calcular unos 16 pies. Estas plantas aromáticas tienen la ventaja de alejar a los parásitos de los rosales y presentan un porte erguido que las convierte en una especie muy interesante para plantar en linderos. Florecen entre junio y agosto en color malva y con finas espigas que coronan el follaje.

Las especies que se encuentran normalmente en los centros de jardinería son fáciles de cultivar, pero no les gusta la tierra demasiado húmeda.

❷ **Un rosal en forma de arbolillo de la variedad «Swany».** Tapizante por naturaleza, este rosal conducido sobre un tallo caerá en una voluminosa bola florida muy refloreciente. Sus tallos pro-porcionan una multitud de flores en grandes racimos blancos, dobles y caídas en tallos flexibles.

❸ **Rosales de mata de corolas dobles, «John Clare»,** cuyo color rosa casa de maravilla con el azul de la lavanda. Compre cuatro.

No supera los 80 cm de altura y su forma erguida crea una transición armoniosa.

¿Cómo se hace?

1. **Trace la rosaleda con un cordel,** plantando estacas en las cuatro esquinas y uniéndolas con el cordel. Entonces disponga las lavandas. Para un bancal de 2 m de lado, coja 16 lavandas que espaciará cada 50 cm.

2. **Cave los hoyos** y vaya plantando poco a poco, después de haber dejado empapar cada terrón en agua durante 20 min.

3. **Coloque los rosales** y plántelos, empezando por el rosal en forma de arbolillo en el centro. Introduzca cada uno en un hoyo de un mínimo de 50 cm de profundidad.

Si el rosal en forma de arbolillo no lleva un tutor incorporado al terrón, póngale uno al plantarlo. Coja una estaca sólida e introdúzcala entre las raíces a lo largo del tallo.

En el caso de un rosal comprado en recipiente, coloque el tutor en bisel formando un triángulo con el tallo. No lo ponga en el terrón, ya que podría romper las raíces.

4. **Riegue abundantemente.**

¿Y después?

Pode bien las lavandas a principios de primavera. Si rebaja las matas a dos tercios de su altura, las mantendrá muy tupidas en la base. Tras la floración, corte también el tallo florífero justo hasta el límite del follaje, sin tocarlo.

Dado que la lavanda resiste la sequía, no se fíe de su aspecto para decidir si es necesario regar. Riegue los rosales copiosamente para humidificar la tierra en profundidad.

Consejo

Antes de lanzarse a este tipo de realización, hay que darse un tiempo para observar el jardín y hacerse las preguntas adecuadas: ¿Cuál es la zona más soleada? ¿Mi terreno está bien drenado? Los rosales y la lavanda necesitan, efectivamente, mucho sol para florecer bien. La lavanda no soporta la humedad en el pie.

Al cabo de unos meses, si ve que sus plantas no crecen bien, no dude en desplazarlas: quizás las condiciones no sean favorables. Extraiga los terrones enteros sin estropear las raíces y trasplántelas sin dilación. Piense que es mejor no trasplantar un rosal al lugar donde ya se ha cultivado otro.

CALENDARIO

¡Hiela y tengo que plantar rosales!

Las heladas siempre llegan por sorpresa y en mal momento. Si acaba de comprar sus rosales, no pasa nada. Podrán esperar un poco a que suba la temperatura, basta con intentar conservarlos en las mejores condiciones posibles.

¿Cómo se hace?

Colocar los rosales en una zanja para re-nuevos permite guardarlos entre una y tres semanas. La zanja consiste en un agujero que se practica en la tierra del jardín, donde se introducen los rosales. Así no se secan y, al estar en el exterior, se mantienen en reposo (no desarrollan los capullos demasiado pronto). Evite guardarlos en el garaje, ya que hace más calor. Los capullos podrían desarrollarse y marchitarse cuando se planten los rosales en el jardín.

● **En el caso de los rosales a raíz desnuda:**
1. Cave una zanja de unos 40 cm de profundidad en el jardín, en un rincón resguardado del viento frío y más bien a media sombra, para evitar las grandes diferencias de temperatura.
2. La zanja ha de tener forma de V para colocar los rosales en diagonal, apoyados sobre uno de sus lados. Hay que enterrarlos por encima del cuello, para conseguir que permanezcan enterrados entre un tercio y la mitad de los tallos.
3. Deje las raíces agrupadas, sin desenredarlas. Los rosales no tienen que estar en la posición de una plantación real, para que no arraiguen.
4. Cúbralos de tierra, sin apretarla. Si está en una zona muy fría, añada una capa de paja para protegerlos mejor del hielo.

● **Los rosales en recipiente:**
Si se trata de heladas tardías (a veces sucede en abril) y no dispone de un lugar de almacenamiento fresco y ventilado, también puede ponerlos en una zanja para renuevos llena de tierra o de arena y de paja.
Si ya tienen el ramaje alto, proteja éste también, envolviéndolo con una tela de invernadero.

¿Y después?

Una vez terminada la helada, prepare los hoyos de plantación.

Saque los rosales de la zanja cuando ya esté listo para plantarlos y efectúe la operación con rapidez, preferiblemente a mediodía.
Si teme que pueda volver a helar, forme un montoncito de tierra al pie del rosal, cúbralo con un acolchado y envuelva también las ramas.

Las heladas precoces, como la que ha afectado a este rosal Félicia, pueden dañar a los rosales jóvenes. Recuerde proteger los pies con un montoncito de arena al empezar el frío.

Acciones básicas
Plantar rosales, p. 8
Cómo mantener los rosales, p. 12
Diccionario
Raíz desnuda, p. 107
Reposo vegetativo, p. 109

En invierno ⸎ 63

CALENDARIO

CATÁLOGO

Las mejores rosas para todos los jardines

DE 60 ROSAS FÁCILES

«Buff Beauty» (Bentall, 1939)

Este rosal se cubre de grandes ramos abundantes y graciosos, de color amarillo claro aterciopelado y muy perfumados. Florece durante todo el verano y se renueva sin cesar. Su porte muy flexible lo convierte en un arbusto gracioso, de follaje oscuro bien repartido en el conjunto del ramaje y con flores dobles que se aplanan ligeramente al abrirse. Su crecimiento escalonado da lugar a una planta tan alta como ancha.

¿Dónde plantarlo?

Este arbusto es muy adaptable a diversas condiciones de cultivo. Se acomoda a varios tipos de tierra y florece incluso a media sombra.

Puede usarlo en una hilera de separación detrás de un muro, empalizarlo contra una alambrada o en un enrejado, a modo de claustro florido.

¿Cuándo podarlo?

A finales de invierno efectúe una poda ligera sobre el conjunto de la planta. Al cabo de algunos años, recorte las ramas demasiado viejas a ras de tronco: serán reemplazadas por los tallos jóvenes de rápido crecimiento.

ARBUSTO
Refloreciente
Flor doble
y perfumada
FLORACIÓN
E F M A M
J A S O N

1,50 m

Combinaciones

Es una de las mejores variedades para crear múltiples combinaciones en los jardines de rosas, ya que su estilo encaja tanto con las rosas modernas como con las antiguas. Cuidado con el crecimiento a lo ancho, pues precisa espacio para ser equilibrado.

«Abraham Darby» (David Austin, 1985)

Esta rosa inglesa, muy bien formada, posee una extraña elegancia. Sus flores son de color amarillo rosado o albaricoque en el centro, con pétalos dobles en forma de copa, y alcanzan un gran diámetro.

La floración abundante de principios de verano continúa, de forma más moderada, el resto de la temporada. Su porte es regular, de 1,50 m de altura y anchura. El follaje ancho, verde, mediano y arbustivo, se mantiene sano.

¿Dónde plantarlo?

Reserve esta rosa de estilo antiguo, de carácter cálido y perfume agradable, para los lugares privilegiados cerca de la casa, para sus recorridos preferidos o junto a un banco. Empalizada puede elevarse hasta 3 m y formar un pequeño trepador. También queda muy bien al principio de un camino o sendero.

¿Cuándo podarlo?

No lo pode al plantarlo. Reduzca las ramas a la mitad durante el año siguiente para ramificar bien el arbusto, y luego efectúe todos los años una poda ligera a finales de invierno. Limpie regularmente los tallos muertos o débiles.

ARBUSTO
Refloreciente
Flor doble
y perfumada
FLORACIÓN
E F M A M
J A S O N E

1,50 m

Perfume

Muy perfumado, con ricas notas afrutadas y frescas.

Consejo

A este rosal no le gusta mucho la compañía de otros arbustos, y aún menos la sombra de los árboles. Plántelo preferiblemente aislado.

«Ghislaine de Féligonde» (Turbat, 1916)

Su flexibilidad permite a este maravilloso rosal antiguo situarse entre los grandes arbustos o entre los pequeños trepadores para empalizar, ya que puede crecer hasta 3 m y espesarse unos 2,50 m. Sus ramas sarmentosas caen ligeramente y sostienen grandes ramos de flores dobles de color amarillo albaricoque, que empalidecen a medida que se abren. Los capullos, bien formados y de color naranja, resultan decorativos entre las flores abiertas. Este rosal es muy florífero y remonta vigorosamente con un follaje sano.

¿Dónde plantarlo?

Como arbusto aislado de gran volumen o como trepador sobre una pequeña pérgola, un tutor, un arco o incluso en una alambrada. Florece bien a media sombra clara, por lo que se adapta a numerosos emplazamientos, entre ellos los jardines de ciudad, que acostumbran a ser poco soleados.

¿Cuándo podarlo?

Para mantenerlo como arbusto, pódelo a principios de primavera, eliminando un tercio de la longitud del conjunto del ramaje. No exige mucho mantenimiento, resiste a las enfermedades y a los parásitos, lo cual evita los tratamientos.

ARBUSTO
Refloreciente
Flor doble

FLORACIÓN

E	F	M	A	M	J
J	A	S	O	N	D

Acepta
media sombra clara

1,60 m a 3 m

Consejo

Sus tallos casi no tienen espinas.

Combinaciones

Cuando está empalizado, plante a su lado una clemátide violeta. Si está tratado como arbusto, acompáñelo de lavandas oscuras, de lirios violetas o de argentinas anaranjadas.

«Rush» (Lens, 1983)

Su nombre es muy acertado, ya que crece muy rápidamente y forma un arbusto denso que disuade a cualquiera que quiera atravesarlo. Es florífero, robusto y resistente a las enfermedades. Se engalana con ramilletes de flores de color rosa pálido, desde su cima hasta ras del suelo. Sus flores simples, con cinco pétalos, se abren en plano y tienen un reborde fucsia, el mismo color de los capullos. Resisten bien en un jarrón en los ramos campestres.

¿Dónde plantarlo?

«Rush» resulta idóneo en los jardines grandes. Plantado en dos filas, formará una hilera infranqueable que florece continuamente. En grandes macizos, solo o acompañado de otros arbustos, necesita mucho espacio. Es adecuado para bosquecillos aislados o sobre el césped, pero su aspecto algo salvaje lo convierte en más indicado para plantarlo en los alrededores de las vallas.

¿Cuándo podarlo?

A principios de primavera, regularice únicamente la altura despuntando la planta y cortando las ramas que sobrepasen demasiado la silueta general. Suprima los chupones.

ARBUSTO
Refloreciente
Flor simple

FLORACIÓN

E	F	M	A	M	J
J	A	S	O	N	D

1,50 m a 1,80 m

Consejo

Su crecimiento rápido y su profusa vegetación no permiten cultivarlo en maceta, aunque sea muy grande. A menudo se ha valorado el hecho de que produzca constantemente tallos nuevos a partir del tronco.

«Blush Noisette» (Louis Noisette, 1818)

Esta rosa antigua sigue seduciendo gracias a su perfume especiado y a sus pequeñas flores semidobles en forma de copa de color lila pálido, muy elegantes.

Florece entre verano y otoño. Este arbusto tupido, pero de crecimiento moderado, es muy rústico y fiable, lo que le ha permitido sobrevivir a las modas y al tiempo.

¿Dónde plantarlo?

Se adapta a todas las exposiciones, a pleno sol o a media sombra, donde destacará su color refinado, e incluso en el norte, si recibe bastante claridad.

Puede convertirse en un pequeño trepador y es ideal para adornar la base de los grandes rosales trepadores y el pie de los árboles.

Esta variedad se adapta a cualquier tipo de tierra, incluso a las más pobres, pero recuerde añadirle una capa de compuesto en otoño o en primavera, en el momento en que retoma la vegetación.

¿Cuándo podarlo?

Este arbusto no precisa un gran mantenimiento. Basta con eliminar las ramas secas y enfermas a finales de invierno.

ARBUSTO
Refloreciente
Flor semidoble
y perfumada

FLORACIÓN
E F M A M
J A S O N

Acepta
la media sombra

1,50 a 2,50 m

Consejo

«Blush Noisette» tiene las características de los rosales de Noisette obtenidos en EE.UU. en el siglo XIX. Son poco numerosos y se recomiendan por su fiabilidad y su adaptabilidad, como «Madame Alfred Carrière» y «Maréchal Niel».

Rosa glauca (rosal botánico)

Este rosal se conoce con dos nombres diferentes: *Rosa glauca* y *Rosa rubrifolia*, debido a su particular follaje, gris azulado con tallos violáceos.

Los ramilletes con pequeñas corolas simples, de color rosa vivo, destacan sobre el follaje, cuya originalidad permite crear composiciones muy elaboradas con otros rosales, plantas vivaces y arbustos.

¿Dónde plantarlo?

Su vegetación extensa quedará bien en los fondos de los macizos y en las hileras mixtas.

Como arbusto aislado, no necesita apoyo alguno y crece hasta alcanzar el 1,80 m, manteniendo una base espesa y muy poblada. Es un rosal con abundante vegetación, indicado para terrenos de normales a pobres.

¿Cuándo podarlo?

Para aprovechar plenamente sus numerosos frutos rojos, que animarán el otoño, es preferible podarlo muy poco, ya que las flores son las que más tarde producen los frutos. Corte simplemente los tallos mal situados cuando esté plantado en un macizo.

ARBUSTO
Refloreciente
Flor simple

FLORACIÓN
E F M A M
J A S O N

Acepta
media sombra

1,80 a 2 m

Combinaciones

Situado cerca de un pórtico, formará una hermosa composición con vivaces grandes, *Delphiniums* y lirios, y con un rosal trepador empalizado. Elija un trepador amarillo dorado o rosa vivo, o incluso violeta malva para crear un ambiente más azulado.

Rosa rugosa (rosal botánico)

Todos los jardines deberían contar como mínimo con un pie de esta especie botánica en su forma rosa, blanca (*R. rugosa alba*) o roja (*R. rugosa rubra*), o con sus híbridos, «Hansa» y «Scabrosa». Estos rosales, que son muy floríferos durante todo el verano, se cultivan con facilidad y muestran una gran robustez. Sus grandes flores, de color puro, son olorosas y se abren dejando ver un bonito ramo de estambres, y salpican de color un follaje extremadamente denso, con hojas rugosas, de verde medio a claro.

ARBUSTO
Floración continua
Flor simple
y perfumada

FLORACIÓN

E	F	M	A	M	J
J	A	S	O	N	D

Acepta
media sombra

1,20 a 2 m

¿Dónde plantarlo?

Los *Rosa rugosa* son perfectos para plantar en hileras, ya que sus hijuelos contribuyen a fijar la tierra de los taludes. En los macizos desarrollan una gran envergadura. Resisten una insolación débil y terrenos difíciles.

¿Cuándo podarlo?

Rosa rugosa no resiste la poda. De porte muy compacto, sigue creciendo hasta alcanzar los 2 m de altura y un diámetro imponente. Para un macizo o una hilera baja, elija sus híbridos y pódelos a finales de invierno. Retire delicadamente las flores marchitas para conservar los frutos.

Consejo

Sus grandes frutos de color rojo resisten mucho tiempo. Para recolectarlos, espere a la primera helada y deje algunos en el arbusto para que los pájaros puedan alimentarse.

«Mme Isaac Pereire» (Garçon, 1881)

De color rosa oscuro sombreado de magenta y púrpura, este rosal es un privilegiado entre las rosas antiguas. Es muy refloreciente y posee uno de los perfumes más intensos. Sus flores dobles se abren en una unión perfecta con el follaje. De ser un arbusto de 1,50 m pasa fácilmente a medir 2,50 m si se deja crecer en libertad. Es muy resistente al frío.

ARBUSTO
Refloreciente
Flor doble
y perfumada

FLORACIÓN

E	F	M	A	M	J
J	A	S	O	N	D

Acepta media
sombra clara

1,50 a 2,50 m

¿Dónde plantarlo?

Como arbusto de gran tamaño o como pequeño trepador, es polivalente y se adapta a todos los soportes. Necesita que se le riegue en abundancia durante los períodos de crecimiento. Acepta los terrenos bastante pobres, siempre que se le abone con regularidad, y también resiste una exposición poco soleada.

¿Cuándo podarlo?

Efectúe una poda extensa cada año a principios de la estación de primavera.

S.O.S.

Si lo planta como trepador en un muro, favorezca una buena aireación del rosal y separe bien unos tallos de otros empalizándolos para evitar las enfermedades causadas por los hongos, a las que es sensible.

Consejo

Las primeras flores en abrirse en ocasiones sufren malformaciones, pero se renuevan rápidamente y la refloración es espléndida.

CATÁLOGO

«Douceur Normande» (Meilland, 1993)

Se usa preferentemente como rosal destinado a producir un efecto natural, gracias a su porte erguido y muy tupido, totalmente cubierto de flores desde principios de verano hasta otoño. Las flores, aunque de forma simple, son grandes, de un color rosa asalmonado muy fresco. Florecen en todos los tallos del arbusto, incluso en los más bajos, y se renuevan continuamente.

¿Dónde plantarlo?

Le gusta el calor y el sol directo, y resiste muy bien las temperaturas mediterráneas, incluso en pleno verano. En las regiones más frías, plántelo delante de un empalizado o de una pared, pues lo protegerán durante el invierno.
Forma bonitas hileras bordeadas de césped, pero también macizos imponentes para tenerlos aislados o combinarlos con otros arbustos. Si lo planta en hileras, deje un espacio de 50 cm entre cada pie.

¿Cuándo podarlo?

Limpie los tallos viejos en otoño y le costará menos podar los tallos restantes a finales de invierno. Efectúe una poda muy ligera si está plantado en hileras.

ARBUSTO
Floración contir
Flor simple

1 a 1,30 m

Consejo

Es un rosal que no da problemas. Puede usarse profusamente, ya que mantiene una envergadura mediana aunque su vegetación sea vigorosa.

«Robin Hood» (Pemberton, 1927)

Su porte arbustivo y erguido está bien ramificado y se mantiene regular en su metro de diámetro.
Las flores, de talla mediana y semidobles, con pétalos ondulados, toman un color rosado claro o cereza según la luz, sobre un follaje brillante y grande. Lucen siempre un tono luminoso, incluso cuando hace mal tiempo.

¿Dónde plantarlo?

Es un rosal que precisa estar a pleno sol. Es preferible un lugar orientado al sur, en medio del césped o rodeado de vivaces tapizantes.

¿Cuándo podarlo?

Precisa algo de mantenimiento. Basta una poda de limpieza en invierno para eliminar aquellos tallos que han muerto o que están demasiado envejecidos.
Para obtener un arbusto más compacto, recorte un tercio de la longitud de los tallos.

Consejo

«Robin Hood», un arbustivo mediano, se cultiva también en macetas bastante hondas en los balcones soleados.

ARBUSTO
Refloreciente
Flor semidoble

1,20 a 1,50 m

Combinaciones

Este arbusto, de una rusticidad excelente por su amplia y sana vegetación, es adecuado para todos los jardines.
La floración bastante tardía se renueva luego continuamente, lo que permite combinar su colorido brillante con arbustos de flores estivales, como *Perovkia* azul, *Lobelia* rosa o *Hypericum* amarillo.

Rosa moyesii (rosal botánico)

Posee un follaje elegante, verde oscuro con pequeños folíolos, pero la característica que lo sitúa entre los rosales botánicos de gran interés son sobre todo sus flores simples muy abiertas, de un rojo encendido tirando a marrón, y sus frutos en forma de calabazas alargadas. Es vigoroso y llega a los 3 m de altura. Puede empalizarse.

ARBUSTO
No refloreciente
Flor simple

FLORACIÓN

E	F	M	A	M	J
J	A	S	O	N	D

Acepta
media sombra

2 a 3 m

¿Dónde plantarlo?

Este rosal resiste muy bien los lugares medio sombreados, los límites del monte bajo y los terrenos pobres. Se puede empalizar en pilares de pérgolas, en zonas cubiertas de jardín y en tapias. Plántelo en compañía de un gran arbusto de follaje ligero o de un viejo árbol frutal.

¿Cuándo podarlo?

Evite cortar las flores marchitas para aprovechar sus hermosos frutos. Elimine los tallos más viejos en otoño, cortándolos por la base para regenerar el arbusto.

Consejo

La variedad «Géranium», obtenida en 1938, se encuentra fácilmente en los viveros, ya que produce una flor muy luminosa, de un rojo anaranjado muy vivo y de aspecto algo ceroso.

El *Rosa moyesii* no florece durante el primer año de plantación ya que, como todos los rosales florecientes, florece en las ramas del año anterior.

«La Sevillana» (Meilland, 1978)

No existe otro rosal arbustivo más resplandeciente. Su rojo vivo no pierde intensidad y proporciona una vivacidad espectacular a los macizos.

El follaje verde oscuro es de tamaño mediano, al igual que las flores semidobles, abiertas en ramilletes en el extremo de los tallos.

Su aspecto general es un poco desordenado, pero va tomando cuerpo de año en año y termina por obtener un volumen impresionante.

ARBUSTO
Refloreciente
Flor semidoble

FLORACIÓN

E	F	M	A	M	J
J	A	S	O	N	D

1,30 m

¿Dónde plantarlo?

Es fuerte y sano y se encuentra bien en terrenos normales. Su tamaño es muy adecuado para plantarlo en hileras. Espacie las plantas 50 cm.

También florece como rosal aislado, como punto de mira de una perspectiva, cerca de una pared que hay que iluminar o en un patio de estilo andaluz.

¿Cuándo podarlo?

Este rosal necesita algo de mantenimiento. En otoño, limpie el ramaje de tallos muertos o mal situados, y efectúe una talla ligera a finales de invierno.

Combinaciones

Como pasa a menudo con los rosales rojos, a veces cuesta combinarlo con otras plantas.

Elija arbustos de hojas verde perenne, rosales de color blanco o amarillo pálido, ásteres violetas, geranios y otras vivaces cuyo follaje generoso puede moderar el color rojo intenso de este rosal.

«Cardinal de Richelieu» (Laffay, 1840)

«Cardinal de Richelieu» pertenece a la familia de las rosas gálicas y posee todas sus cualidades: un perfume duradero, una excelente rusticidad y un porte erguido, a pesar de sus flores dobles y de gran tamaño.

Su rico colorido aterciopelado púrpura violáceo, que se vuelve casi malva en plena eclosión, se suma a la belleza de esta rosa antigua. Su follaje verde oscuro es poco espinoso.

¿Dónde plantarlo?
Este arbusto de pequeña talla puede plantarse en los macizos o en los bancales de rosas.

¿Cuándo podarlo?
No es refloreciente y hay que podarlo al terminar la temporada. Necesita que se le despejen bien las ramas todos los años.

Consejo
Los pétalos conservan mucho tiempo su perfume y se usan en saquitos de olor, así como en preparaciones culinarias (helado de rosas, pétalos glaseados) y en cosmética (agua de rosas).

Combinaciones
Dado que florece únicamente en junio, acompáñelo de otros rosales reflorecientes del mismo estilo, o de flores simples y grandes. Elija colores que armonicen bien y déjele el protagonismo durante su floración.

ARBUSTO
No refloreciente
Flor doble
y perfumada

FLORACIÓN

E	F	M	A	M	
J	A	S	O	N	

1,20 a 1,50 m

«Jardin de Bagatelle» (Meilland, 1986)

Este rosal se caracteriza por una flor muy perfumada y doble, de forma moderna, y desempeña un buen papel en un macizo. Su color blanco crema es más oscuro en el centro y se vuelve ligeramente rosado en el contorno. Las lluvias intensas pueden marchitar las flores, que habrá que cortar rápidamente. Su follaje brillante, denso y tupido, resiste la larga floración, que se inicia en verano y se alarga hasta las primeras heladas. Esta planta es muy fuerte y no teme el hielo ni los ataques de los parásitos, y soporta bien el calor intenso. Este rosal también se comercializa en forma de arbolillo.

¿Dónde plantarlo?
Por su gracia y su porte, es un rosal que debe plantarse aislado. Resérvele un lugar de honor en los macizos, combinado con follajes oscuros que realcen el tono cremoso de la rosa, en arriates bordeados de boj. Colóquelo a pleno sol.

¿Cuándo podarlo?
Cada año a finales de invierno, ya que su floración es bastante precipitada en primavera. Limpie y despeje regularmente el ramaje para mantener su aspecto impecable.

Perfume
Recibió la Copa del Perfume en el Concurso de Rosas Nuevas de Bagatelle, y la Medalla de Oro en el Concurso de Ginebra. Cabe destacar que su suave perfume constituye una gran baza.

MATA DE FLORES GRANDES
Refloreciente
Flor doble
con pétalos
en remolino,
perfumada

FLORACIÓN

E	F	M	A	M	J
J	A	S	O	N	D

0,90 a 1 m

«Alphonse Daudet» (Meilland, 1997)

Este rosal mezcla las cualidades reconocidas de las rosas antiguas y las modernas: el encanto de las corolas dobles, en forma de copa, y un suntuoso color amarillo gamuzado, casi albaricoque, en el centro, bordeado de pétalos de color amarillo pálido.

Desprende un perfume afrutado, muy adecuado para su forma y color. Las flores se renuevan abundantemente sobre un follaje sano, oscuro y muy denso.

¿Dónde plantarlo?

En un macizo crea un efecto espectacular de masa, o si se emplaza cerca de la casa, podrá aprovechar su perfume y cortar las rosas. Plántelos en grupos de tres o más, dejando una distancia de 80 cm entre cada pie.

¿Cuándo podarlo?

Únicamente a finales de invierno, recortando los tallos.

Combinaciones

En un macizo, elija compañeros ligeros o de follaje verde oscuro. Si lo planta al pie de un arco con una clemátide y rodeado de nepetas, la composición atraerá todas las miradas.

MATA DE FLORES GRANDES
Refloreciente
Flor doble
y perfumada

FLORACIÓN					
E	F	M	A	M	J
J	A	S	O	N	D

1 a 1,10 m

Consejo

Este rosal aúna una gran robustez y una buena resistencia a las enfermedades y a los parásitos con el encanto y la delicadeza de la rosa antigua. Es un acierto seguro en cualquier jardín.

«Mme A. Meilland» (Meilland, 1939)

Esta rosa, conocida en el mundo entero con el nombre de «Peace», conmemora el final de la Segunda Guerra Mundial. Su porte altanero, su perfume sutil, la forma ondulada y muy abierta de sus pétalos –de color amarillo claro en el centro, ligeramente ribeteados de rosa en el exterior– hacen de éste uno de los rosales modernos con flores grandes más hermosos. Con un follaje verde oscuro y brillante, resiste cualquier clima y se adapta a cualquier terreno.

¿Dónde plantarlo?

Es muy robusto y muy fiable, y la planta se acomoda a todos los jardines, a condición de que le dé el sol.
Acompañado de otros rosales de mata en tonos carmín, «Peace» crea hermosas combinaciones. También puede plantarse en grandes cantidades formando una hilera, tupida y vigorosa.

¿Cuándo podarlo?

Se poda cada año a principios de primavera, bastante ligeramente a pesar de su porte de mata, ya que es muy vigoroso. En un terreno rico, puede cultivarse como arbusto: en este caso no requiere más poda que las limpiezas anuales.

MATA DE FLORES GRANDES
Floración continua
Flor doble
y perfumada

FLORACIÓN					
E	F	M	A	M	J
J	A	S	O	N	D

1 a 1,20 m

Consejo

Existe uno de tipo trepador obtenido en 1950. Se cultiva preferentemente en los climas cálidos y secos, y muestra una exuberancia que hay que controlar, teniendo cuidado de empalizar regularmente las ramas nuevas.

«Mille et Une Nuits» (Dorieux, 1999)

Es una de las obtenciones recientes más hermosas y goza de un éxito muy merecido. Las corolas, de color rosa pálido cuando se abren, se tiñen de color albaricoque y se oscurecen en plena eclosión. Desprende un perfume afrutado muy agradable, en armonía con sus colores.

El follaje, verde oscuro mate, realza especialmente las flores. Este rosal, en forma de arbusto o de mata, resiste a las enfermedades y sus grandes flores se mantienen en perfectas condiciones en un jarrón.

¿Dónde plantarlo?

En una buena tierra de jardín florece durante todo el verano, preferentemente a pleno sol. Sus colores cambiantes y sus pétalos dobles en forma de copa se adaptan con total libertad a todas las composiciones.

¿Cuándo podarlo?

La poda de finales de invierno determinará el ancho de la planta: para un desarrollo máximo (1 m de anchura y 1,50 m de altura), efectúe una poda ligera. Para darle una forma redondeada de 1,20 m de altura aproximadamente, realice una poda más extrema.

MATA
DE FLORES
GRANDES
Floración contin...
Flor doble
y perfumada

FLORACIÓN
E F M A M
J A S O N

1,20 a 1,50 m

Consejo

Esta rosa obtuvo el premio de la Rosa de Oro en el Concurso de Ginebra y el trofeo Prestige en el Concurso de Lyon. Se le augura un gran futuro.

«Jules Verne» (Adam, 1999)

Esta espléndida creación reciente une a un colorido doblemente refinado, un fuerte perfume, un porte erguido y tupido y una excelente resistencia a las enfermedades.

Su follaje, muy brillante, entre verde azulado y verde oscuro, potencia el color de las rosas. Las flores, que reflorecen desde mayo hasta las primeras heladas, muestran una corola en remolino muy abierta, de color amarillo, delicadamente ribeteada de rosa carmín.

¿Dónde plantarlo?

Solo o en grupos de tres pies, producirá una vegetación fuerte muy compacta. En un macizo, colóquelo en el punto de mira.

¿Cuándo podarlo?

Pode siempre a finales de invierno, recortando poco los tallos principales y dos tercios de las ramas secundarias. Elimine los tallos muertos y las ramas estropeadas.

Consejo

Las flores cortadas pueden llegar a durar más de una semana en un jarrón. Corte por la mañana temprano las flo-

MATA
DE FLORES
GRANDES
Refloreciente
Flor doble
y perfumada

FLORACIÓN
E F M A M
J A S O N D

0,80 a 1,10 m

res que empiezan a abrirse. Tienen una hermosa constancia y un porte majestuoso, incluso en capullo.

Perfume

Su tinte bicolor reúne dos aromas distintos: el perfume embriagador, reservado por lo general a las rosas rojas, y las notas afrutadas, características de las rosas amarillas.

«Jacques Cartier» (Moreau-Robert, 1868)

Se considera el mejor rosal antiguo susceptible de ser cultivado fácilmente en el jardín. Esta mata refloreciente es esplendorosa y muy perfumada.

Las flores, dobles y de tamaño impresionante, se abren en gajos y luego se aplanan.

Su color rosa tierno y oscuro en el centro empalidece en los bordes para evolucionar a rosa claro cuando se abre del todo. Resaltan mucho entre el follaje sano, verde intenso, coriáceo y ancho.

¿Dónde plantarlo?

Este rosal puede plantarse tanto en una pequeña hilera como en una mata aislada cerca de la casa, dentro de un pequeño macizo o en una maceta en el balcón.

Florece mejor a pleno sol, aunque en un arriate tupido resiste la sombra del resto de arbustos si el emplazamiento es muy luminoso.

¿Cuándo podarlo?

A principios de primavera recorte un tercio de la longitud de las ramas. Elimine las flores marchitas para permitir que el resto se desarrolle.

MATA DE FLORES GRANDES
Refloreciente
Flor doble
y perfumada

FLORACIÓN					
E	F	M	A	M	J
J	A	S	O	N	D

0,90 a 1,20 m

Consejo

Este rosal exige una tierra humidificada con regularidad. Riegue a menudo durante las épocas de calor, especialmente en las zonas meridionales. Si acompaña el rosal con vivaces de follaje espeso, evitará que se seque la tierra demasiado rápido.

«Yves Piaget» (Meilland, 1983)

La flor voluptuosa de este rosal se parece a la de las peonías. Los capullos, puntiagudos pero muy rollizos, producen más de 80 pétalos cuando florecen. Estos pétalos dentados, de un rosa oscuro y tierno a la vez, desprenden un fuerte perfume. El follaje mate, muy resistente, adorna los tallos vigorosos. El conjunto de la planta es robusto.

¿Dónde plantarlo?

Este rosal prefiere el clima temperado, poco riguroso en invierno. A pleno sol, la floración será muy abundante. Su estilo de rosa antigua pero de aspecto muy dinámico es adecuado tanto en los jardines clásicos como en las composiciones contemporáneas.

¿Cuándo podarlo?

A finales de invierno resérvele una poda larga, ya que es muy vigoroso por naturaleza. Elimine los brotes no floríferos que aparezcan en la base.

Consejo

Recuerde juntar un montoncito de tierra al pie del rosal en otoño y poner un acolchado si vive en una zona fría. Este ro-

MATA DE FLORES GRANDES
Refloreciente
Flor doble
y perfumada

FLORACIÓN					
E	F	M	A	M	J
J	A	S	O	N	D

0,80 a 1 m

sal ha recibido premios tanto por la calidad de sus flores como por su perfume.

Perfume

El de «Yves Piaget» es muy sobresaliente en todos los aspectos: es intenso, y en él destaca una nota de rosa sobre un fondo afrutado muy cautivador. Conserva su aroma durante toda la temporada, incluso con mal tiempo y humedad.

«Christophe Colomb» (Meilland, 1992)

Es una rosa muy original por su forma y su color rojo anaranjado con reflejos rojo guindilla, con porte de mata y follaje brillante. Los pétalos cerrados del centro conservan una forma perfecta durante la floración.

¿Dónde plantarlo?

En los arriates grandes, en alternancia regular para otorgar cierto ritmo, o para realzar los macizos apagados.

¿Cuándo podarlo?

Este matorral de grandes flores ya se podará al cortar las rosas para hacer ramos. A finales de invierno, recórtelo un poco. Producirá numerosas flores que le gustará coger.

Consejo

También se vende en forma de arbolillo, lo que permite crear relieves floridos en los arriates largos. Pese a no ser perfumado, realza los ramos y los macizos por la vivacidad de sus colores.

Combinaciones

Las flores de colores violetas contrastarán de forma ideal con este rosal.

MATA DE FLORES GRANDES
Floración contin...
Flor doble

FLORACIÓN

E	F	M	A	M	
J	A	S	O	N	

0,80 a 1 m

Del violeta claro al azul marino, constituye la mejor combinación para quien desee crear una imagen de gran vitalidad.

Más suave será la combinación con flores rojo oscuro o con un *Berberis thunbergii Atropurpurea*, en la que «Christophe Colomb» parecerá recién salido de un elegante estuche de terciopelo.

«Violette Parfumée» (Dorieux, 1995)

Este rosal refloreciente es conocido sobre todo por su color malva y por su rico perfume. Su vegetación es regular, tan alta como ancha, y su porte erguido queda matizado por las flores, menos rígidas.

¿Dónde plantarlo?

Se cultiva con mucha facilidad y se mantiene sano, al igual que muchos rosales modernos. Prefiere un terreno pesado y rico que se mantenga fresco de primavera a otoño, donde se desarrolla con gran vigor. Evite los terrenos demasiado porosos y pobres. Si lo sitúa bajo las ventanas de la casa, podrá apreciar su perfume.

¿Cuándo podarlo?

Esta mata de grandes flores se poda a finales de invierno. Elimine los tallos más delgados por la base y rejuvenezca la planta con regularidad cortando un tercio de los tallos viejos a ras del tronco.

Perfume

Sutil y fresco, su aroma perfumado mezcla notas especiadas con otras cítricas.

MATA DE FLORES GRANDES
Refloreciente
Flor doble
y perfumada

FLORACIÓN

E	F	M	A	M	J
J	A	S	O	N	D

0,90 m

Combinaciones

Evite colocarlo acompañado por otros rosales perfumados. Busque el contraste con un rosal amarillo, como «Vendée Globe», así como con vivaces de flores amarillas o de tonos más cálidos.

Las filipéndulas con inflorescencias rosa vaporoso crearán una combinación armónica.

«Méli-Mélo» (Orard, 1997)

Cuesta encontrar una rosa bicolor roja y crema con pétalos estriados. En «Méli-Mélo» los dos colores se diferencian perfectamente sobre un fondo amarillo muy claro que los ilumina aún más. Las flores son dobles, perfumadas y presentan una bonita forma de remolino suave. Se mantienen impecables incluso al marchitarse. La planta es sana y vigorosa.

¿Dónde plantarlo?

A este rosal le gusta estar a pleno sol o en lugares muy luminosos, aunque le dé el sol únicamente durante unas horas. Al pie de una pérgola alegrará un trepador de follaje denso. En un macizo quedará perfecto para adornar la parte delantera de una casa de piedra, y en el huerto de hierbas aromáticas, podrá coger sus flores.

¿Cuándo podarlo?

Al ser refloreciente, precisa una poda corta a finales de la estación de invierno.

Combinaciones

A pesar de sus flores matizadas y algo desconcertantes, este rosal es bastante fácil de combinar.

MATA DE FLORES GRANDES
Refloreciente
Flor doble y perfumada

FLORACIÓN

E	F	M	A	M	J
J	A	S	O	N	D

0,90 a 1 m

Son adecuadas todas las rosas blancas. Las vivaces erguidas, como por ejemplo *Phlox paniculata*, también lo realzarán.
Para crear una armonía más suave, elija heliopsis, con flores amarillo luminoso, o *Hemerocallis* amarillas, con flores más sofisticadas en forma de azucena.

«Ena Harkness» (Norman, 1946)

Este conocido híbrido de té de color carmesí escarlata hace mucho que demostró su valía. Atrae a los amantes de las rosas rojas esplendorosas, y sus flores rebosantes exhalan un poderoso perfume durante todo el verano. Posee una vegetación arbustiva y erguida, y tallos muy espinosos provistos de un abundante follaje oscuro. Sus tallos, que a veces son algo débiles, se doblan bajo el peso de las flores, lo que es una ventaja para su forma trepadora y arqueada.

¿Dónde plantarlo?

Le gusta el sol en la mayoría de terrenos. Abone la tierra para obtener una mejor floración. A la versión trepadora le basta con suelos pobres. Gracias a sus espinas y a su porte rígido, es muy indicado para hileras bajas.

¿Cuándo podarlo?

Durante los dos primeros años, corte los tallos bastante cortos a finales de invierno. En otoño, despéjelo.

Consejo

Aunque es refloreciente, este rosal da pocas flores una vez que ha pasado el punto álgido de su floración. En buenas

MATA DE FLORES GRANDES
Refloreciente
Flor doble

FLORACIÓN

E	F	M	A	M	J
J	A	S	O	N	D

0,80 a 1 m

condiciones, producirá bonitas corolas perfumadas en septiembre. Aproveche entonces la belleza de sus flores y su fantástico perfume.
Las corolas con pétalos imbricados en forma de copa pueden tener muchos usos: decorar los platos, los saquitos de olor o las mesas de fiesta.

«Perle Noire» (Delbard, 1967)

Su color rojo oscuro, que al sol parece casi negro, lo ha convertido en una de las creaciones más importantes de los últimos años.

Esta rosa suntuosa de pétalos aterciopelados, premiada en Bagatelle, absorbe la luz, y su color único no se enciende bajo los rayos ardientes.

El capullo es muy oscuro y se abre en una elegante corola formando un remolino, sobre un follaje verde mate que potencia aún más el color de la flor.

¿Dónde plantarlo?

Como especie aislada, plántelo en un macizo, pero en una buena tierra de jardín abonada con regularidad.

Este rosal merece un emplazamiento que lo realce, enmarcado por un bancal de boj o acompañado por pequeños rosales tapizantes. Florece en primavera y su follaje contribuye a ensalzar el rosal.

¿Cuándo podarlo?

A finales de invierno elimine los tallos muertos y recorte los tallos principales, así como un tercio de la longitud de las ramas secundarias.

MATA DE FLORES GRANDES
Refloreciente
Flor doble

FLORACIÓN

| E | F | M | A | M |
| J | A | S | O | N |

1 m

Consejo
Las flores también quedan muy hermosas en un jarrón, para decorar la casa.

«Fée des Neiges» («Iceberg») (Kordes, 1958)

Su único defecto es que carece de perfume. Pero su valor decorativo, su excelente resistencia a las enfermedades, su rusticidad y el hecho de que florezca de forma espectacular lo han convertido en el rosal imprescindible para todo amante de las rosas blancas.

Sus flores, de una pureza perfecta, destacan tanto en la lluvia como bajo un sol ardiente. «Fée de Neiges», que no ha sido igualado desde su creación, se conoce también con el nombre inglés de «Iceberg».

Florece durante todo el verano con flores semidobles en forma de copa que se abren a partir de bonitos capullos bien formados. Se extiende unos 90 cm a lo ancho.

¿Dónde plantarlo?

Se presta a todo tipo de composiciones, ya sea plantado en un macizo, en arriates o combinado con otras flores. También acepta el cultivo en maceta.

¿Cuándo podarlo?

A finales de invierno, pódelo corto si quiere mantener una mata compacta. Si no, efectúe una poda larga que le permitirá tomar altura.

MATA DE FLORES AGRUPADAS
Refloreciente
Flor semidoble

FLORACIÓN

| E | F | M | A | M | J |
| J | A | S | O | N | D |

1 a 1,50 m

Combinaciones
Todas las flores blanco puro combinadas con «Iceberg» formarán una composición monocromática que creará un hermoso efecto. Elija plantas refinadas, de silueta esbelta, como las digitales, los farolillos altos, las clemátides y también los lirios y las azucenas.

«Amber Queen» (Harkness, 1984)

Este rosal de mata tiene un porte esponjoso y vigoroso. Se cubre primero de corolas dobles en junio, que se abren a partir de bonitos capullos muy hinchados, y luego otra vez en otoño, también de forma abundante. Su color excepcional conserva su vivacidad desde la eclosión de la flor hasta que ésta se marchita. Su perfume delicado persiste durante mucho tiempo.

¿Dónde plantarlo?
Su silueta compacta lo predispone a bordear un macizo o a formar parte de un arriate. Se adapta maravillosamente al cultivo en maceta, a una profundidad de entre 40 y 50 cm de tierra.

¿Cuándo podarlo?
Efectúe una poda extrema a finales de invierno para que conserve su vigor. Despeje el ramaje con regularidad y elimine las ramas demasiado débiles.

Consejo
Puede conservarlo a 50 o 60 cm de altura si lo poda corto, o dejar que llegue a su talla adulta. Su porte se mantendrá

MATA DE FLORES AGRUPADAS
Refloreciente
Flor doble
y perfumada

0,70 a 0,80 m

compacto y un amarillo gamuzado dorado iluminará el jardín con suavidad.

Combinaciones
Su color puede combinarse con otras rosas amarillas, pero también a rosas anaranjadas y púrpuras, para conseguir un efecto más cálido. Combínelas con plantas vivaces como las *Hemerocallis*.

«Martin des Senteurs» (Adam, 1998)

Este rosal, creado por el alcalde de una pequeña población de la Bretaña, tiene todo lo necesario para resistir el clima de «Côtes-d'Armor». Por lo tanto, es muy adecuado para todos los jardines expuestos al viento y a la lluvia, y se beneficia de las temperaturas clementes. Florece en grandes ramos de flores muy abiertas, cuyo corazón amarillo albaricoque empalidece y se tiñe de rosa tierno alrededor. Un follaje verde oscuro, sano y brillante, completa su aspecto voluntarioso y lleno de encanto a la vez.

¿Dónde plantarlo?
Su pequeño tamaño y su porte erguido algo redondeado son adecuados para jardines pequeños. También puede plantarse en una terraza o en el balcón, al sol.

¿Cuándo podarlo?
Pode cada año los tallos principales a una longitud media, a finales de invierno, y recorte los tallos secundarios a la mitad.

Perfume
Ha sido premiado dos veces en concursos de rosas nuevas. «Martin des Senteurs» desprende un perfume afrutado

MATA DE FLORES AGRUPADAS
Refloreciente
Flor semidoble
y perfumada

0,80 a 1 m

muy intenso en el que se mezclan las notas exóticas realzadas por un ligero toque cítrico. Su aroma es muy agradable cuando hace buen tiempo, pero también se percibe en los días húmedos.

Consejo
Este aroma perfumado atrae mucho a las abejas, ya que es muy afrutado.

«Marie Curie» (Meilland, 1997)

Esta rosa, exquisitamente encantadora, ofrece un maravilloso color anaranjado claro y dulce rodeado de rosa pálido en los pétalos semidobles. Forma parte de las rosas perfumadas más recientes, de cualidades reconocidas y cuyo éxito es muy merecido. El arbusto es esponjoso y muy resistente a las enfermedades, y su follaje es verde oscuro.

¿Dónde plantarlo?

Cultívelo en una maceta en el balcón, en un pequeño macizo en el jardín, a lo largo de un muro con exposición directa al sol o frente a un empalizado de madera. En la rosaleda, sitúelo en primer plano, entre los bancales de plantas aromáticas de follaje verde.

¿Cuándo podarlo?

A finales de invierno, como todos los rosales de mata reflorecientes. Recuerde cortar las flores marchitas cada dos o tres días.

Combinaciones

Evite las combinaciones con flores de color rojo vivo. Mejor acompáñelo de *Achillea nana*, de tonos anaranjados,

MATA DE FLORES AGRUPADAS
Refloreciente
Flor semidoble
y perfumada

FLORACIÓN
E	F	M	A	M
J	A	S	O	N

0,60 a 1 m

salmón claro o rosa. Una mata de *Schizostylis* de color rosa oscuro o de lupinos rojo granate le conferirá un contraste original y singular.
En este mismo sentido, acompáñelo con una variedad de *Physalis* de frutos anaranjados.

«Heritage» (Austin, 1984)

Desde su creación, esta rosa inglesa cuenta con los favores de los jardineros europeos. Las flores, muy graciosas, de estuilo antiguo, se abren en forma de copa profunda y llena, de color rosa carne, más oscuro en el centro.
Es robusto y de follaje muy sano. «Heritage» ofrece una floración profusa desde principios hasta finales de verano. El porte, erguido y regular, se desarrolla a 1,20 m de altura y de anchura. El follaje es oscuro y permanece inmune a toda enfermedad.

¿Dónde plantarlo?

Resiste las tierras de normales a pobres, pero exige un emplazamiento soleado para reflorecer a lo largo de toda la temporada.

¿Cuándo podarlo?

A finales de invierno.

Combinaciones

Escale las floraciones plantando cerca rosales antiguos no reflorecientes, de color blanco o rosa tierno, de floración precoz. También puede combinarse con peonías.

MATA DE FLORES AGRUPADAS
Refloreciente
Flor doble
y perfumada

FLORACIÓN
E	F	M	A	M	J
J	A	S	O	N	D

1,20 m

Perfume
Dependiendo de las condiciones de cultivo, el perfume, poco común, puede estar muy presente y ofrecer notas afrutadas, de miel, de clavel y de mirra. O, por el contrario, mantenerse discreto y desprender solamente aromas cítricos.

«Léonard de Vinci» (Meilland, 1994)

Esta mata presenta una silueta esponjosa y de hojas anchas, y posee unas flores con el encanto de las rosas antiguas. Se encuentra a menudo en jardines románticos. Las flores, dobles, muestran una forma globulosa al abrirse y luego se ensanchan a modo de copas muy llenas.

Conservan su color rosa bengala desde que se abren hasta que se marchitan, y se mantienen hermosas incluso después de las grandes lluvias.

En buenas condiciones de cultivo, este rosal permanece inmune a enfermedades y parásitos.

¿Dónde plantarlo?

Forma hermosos linderos compactos y muy floridos durante toda la temporada. Su pequeño tamaño lo convierte en ideal para plantarlo en jardines modestos, siempre en localizaciones muy soleadas.

¿Cuándo podarlo?

Recorte esta mata a principios de primavera para que se mantenga densa y llena de flores. Retire las flores a medida que vayan marchitándose, cortándolas por debajo de la corola. Cuando todo el ramillete esté marchito, corte justo por encima del primer par de hojas bien formadas para facilitar el nacimiento de ramilletes nuevos.

Combinaciones

Rodéelo de vivaces ligeras o de plantas de follaje lineal.

MATA DE FLORES AGRUPADAS
Refloreciente
Flor doble
y perfumada

FLORACIÓN

E	F	M	A	M	J
J	A	S	O	N	D

0,70 a 1,10 m

«Manou Meilland» (Meilland, 1979)

Este rosal es muy apreciado tanto en los pequeños jardines de ciudad como en los jardines de campo, para crear ambientes intimistas.

Su abundante floración ofrece continuamente hermosas corolas de color rosa bengala, ligeramente más claras en el reverso de los pétalos.

El follaje, verde oscuro brillante, es ancho, denso y resistente a las enfermedades. Su porte de mata lo convierte en la mejor elección para los macizos de proximidad, donde su perfume le otorgará un encanto adicional.

¿Dónde plantarlo?

Requiere una situación muy soleada, ya esté plantado contra un muro o en un macizo central.

Evite la proximidad de los árboles, ya que la sombra podría afectar a la floración.

¿Cuándo podarlo?

Pódelo a finales de invierno, a la altura deseada. Una poda corta lo mantendrá bajo y con flores más grandes. Una poda más larga le permitirá ganar en altura. Elimine las flores marchitas para facilitar que vuelva a florecer.

Combinaciones

Las flores de color blanco rosado o azulado y los follajes plateados lo harán resaltar. En los jardines pequeños, la simple compañía de farolillos blancos o azules, altos y bajos, bastará para que la imagen creada sea sobria y elegante a la vez.

MATA DE FLORES AGRUPADAS
Refloreciente
Flor doble
y perfumada

FLORACIÓN

E	F	M	A	M	J
J	A	S	O	N	D

0,60 a 1 m

«Marie Curie» a «Manou Meilland» 81

«Paris 2000» (Delbard, 1999)

Fue creada para celebrar la entrada en el tercer milenio, pero simboliza también la perennidad de la rosa, debido a su aspecto de gavanza con flores simples. Presenta doce pétalos de color rosa fresco graciosamente ondulados, abiertos en llano sobre un ramo de estambres dorados. Su floración, muy generosa, remonta sin parar en ramilletes muy homogéneos, que recubren casi por completo el resistente follaje.

¿Dónde plantarlo?

Plántelo en hileras floridas de baja altura, bordeando un macizo grande o un talud. En el límite del jardín, produce un hermoso efecto cuando ilumina el pie de una hilera arbustiva podada. Ante la fachada de una casa de estilo campestre, muestra un encanto irresistible. A pleno sol, sus flores parecen aún más luminosas.

¿Cuándo podarlo?

Le basta una poda ligera a finales de invierno.

Combinaciones

Al ser rústico y fácil de cultivar, combina bien con casi todas las plantas: vivaces tapizantes como los geranios o las ne-

MATA
DE FLORES
AGRUPADA
Reflorecient
Flor simple

FLORACIÓ
E F M A M
J A S O N

0,60 a 0,80 m

petas, vivaces vaporosas como la campanita de coral (*Heuchera sanguinea*), o con arbustos ligeros como la espirea. Asimismo, para conseguir una hermosa composición puede colocarlo rodeado de margaritas.

«Lavander Dream» (Interplant, 1984)

Sus flores, medianas, se abren en plano y son de un hermoso rosa liláceo, que tiende al malva al final de la eclosión. Este rosal florece casi ininterrumpidamente entre el verano y el otoño, y su follaje verde medio, casi azulado, es también decorativo. Sus cualidades de porte erguido y especialmente denso le permiten ser propuesto como mata o para crear ambientes silvestres.

¿Dónde plantarlo?

Acepta muy bien el cultivo en maceta en el balcón, ya que su vegetación vigorosa no teme a las heladas ni a una exposición muy calurosa.

En el jardín, se planta en hileras decorativas o en grupos mixtos de arbustos y de árboles pequeños para formar bosquecillos. Es adecuado para bordear un camino.

¿Cuándo podarlo?

Efectúe una poda ligera a principios de primavera. Este rosal puede ser podado únicamente una vez cada dos años, pero con la condición de suprimir los chupones que puedan aparecer, que son fáciles de reconocer: tiesos, crecen derechos en vertical.

MATA
DE FLORES
AGRUPADAS
Refloreciente
Flor semidoble

FLORACIÓN
E F M A M
J A S O N

1 a 1,20 m

Combinaciones

Refuerce la nota malva combinándolo con vivaces de follaje glauco o gris, como *Hosta*, *Euphorbes* o artemisa. Los *Delphiniums* de colores violeta o azul marino, así como la flor de ajo azul acero que tiende al plateado, conseguirán un bonito efecto.

«Dioressence» (Delbard-Chabert, 1984)

La rosa, de aspecto arrugado y pétalos ondulados, se abre casi en plano a pesar de su copa profunda. Lo más destacable es su color tan original, rosa viejo liloso, más azulado en el capullo y algo más vivo en el reverso. Las flores combinan de forma moderna con la indolencia de las rosas antiguas. La mata, bien equilibrada, puede ser propensa a las enfermedades.

¿Dónde plantarlo?

Son adecuadas todas las formas de cultivo: en un macizo con otras rosas de color crema, rosado y malva; solo en un macizo unido o en una maceta grande. Este rosal precisa un riego regular en las épocas de calor, y debe plantarse en una tierra rica. Añádale abono orgánico al principio de la vegetación.

¿Cuándo podarlo?

Al ser refloreciente, se poda a finales de inverno.

Perfume

Con el nombre de un conocido perfume de la casa Dior, este rosal huele a bergamota, geranio y musgo.

MATA DE FLORES AGRUPADAS
Refloreciente
Flor doble y perfumada

FLORACIÓN
E	F	M	A	M	J
J	A	S	O	N	D

0,70 a 0,90 m

Su aroma se extiende de forma voluptuosa por toda la casa, simplemente con algunas flores.

Combinaciones

Evite las combinaciones demasiado contrastadas con plantas rojas, rosa vivo o anaranjado. En cambio, un toque de amarillo pálido puede ser muy adecuado.

«Centenaire de Lourdes» (Delbard-Chabert, 1958)

De capullos bien formados, sus corolas redondas se abren progresivamente sobre estambres dorados, que refuerzan bien el color puro de los pétalos.
Resistente, existe en rojo y en rosa. En la variedad roja, el color vivo soporta muy bien el sol intenso. En algunas flores, queda suavizado por un toque blanco. Su follaje se mantiene sano, al igual que el rosal en conjunto: es muy poco propenso a los ataques de los parásitos y a las enfermedades. Está agradablemente perfumado con notas de jazmín y aceite.

¿Dónde plantarlo?

Al ser muy resistente, está perfectamente bien en hileras y en macizos, y contrasta agradablemente con los arbustos perennes. Su abundante floración, desde principios de verano hasta otoño, hace de él un rosal indispensable en todos los jardines.

¿Cuándo podarlo?

Recórtelo en un tercio de su longitud a finales de invierno si lo planta en hilera, y algo más extremadamente si está en un macizo aislado.

MATA DE FLORES AGRUPADAS
Floración continua
Flor doble y perfumada

FLORACIÓN
E	F	M	A	M	J
J	A	S	O	N	D

0,80 a 1,20 m

Consejo

Entre los rosales arbustivos, «Centenaire de Lourdes» es uno de los que presenta una floración realmente continua de junio a otoño: resérvele un emplazamiento cerca de la casa para aprovecharlo. Su perfume será más perceptible por la mañana temprano y a última hora de la tarde.

«Paris 2000» a «Centenaire de Lourdes» 83

Rosa filipes «Kiftsgate» (Mutación descubierta en 1954)

De un gran vigor, este rosal emite muchos tallos largos y flexibles que visten árboles y grandes cenadores.

Produce una multitud de pequeñas flores blancas que son sustituidas por otros tantos pequeños frutos rojos, que persisten durante gran parte del invierno.

Su ramaje voluminoso y su follaje sano son muy decorativos. Un perfume débil pero agradable se desprende de sus flores simples.

¿Dónde plantarlo?

En los lugares donde sea necesaria una masa vegetal imponente, o en los que son de difícil acceso que se dejan un poco salvajes.

¿Cuándo podarlo?

Corte los tallos demasiado largos cuando el rosal crezca en exceso, después de la floración. Deje las flores marchitas para aprovechar la fructificación.

Consejo

Resiste las tierras pobres, incluso si éstas son muy húmedas y se encuentran en situación de media sombra. Puede plan-

ENREDADERA
No reflorecen
Flor simple
y perfumada

FLORACIÓN

E	F	M	A	M
J	A	S	O	N

Acepta
media sombra
y crece en los
árboles

7 a 10 m

tarse a la orilla de un río o cerca del agua, con un árbol como soporte.

S.O.S.

Este rosal exuberante tarda en aposentarse y en empezar a florecer. Las primeras flores aparecen a menudo durante el tercer año después de la plantación.

«Wedding Day» (Stern, 1950)

Fantástico rosal enredadera muy apreciado por su floración única en ramos repartidos a lo largo de los tallos. La blancura de sus pequeñas flores simples queda realzada por los estambres dorados y se cubre de manchas rosa cuando se marchita. Entonces, los tallos se cubren de frutos redondos y anaranjados que persisten, como el follaje, que cae únicamente a mediados de invierno.

Exhala un intenso perfume afrutado.

¿Dónde plantarlo?

Su marcado vigor le permite adornar las tapias, los árboles, e incluso ocultar los tejados de las cabañas de jardín. Vestirá a la perfección las largas pérgolas.

Sus flores y su perfume amenizarán el paseo, y su abundante follaje proporcionará una buena sombra hasta el final del otoño.

Poco exigente en cuanto a la naturaleza del suelo y a la exposición, requiere sin embargo mucho espacio.

¿Cuándo podarlo?

Despéjelo cada dos o tres años cortando de forma extrema las ramificaciones de los tallos principales.

ENREDADERA
No refloreciente
Flor simple
y perfumada

FLORACIÓN

E	F	M	A	M
J	A	S	O	N	D

Acepta
media sombra

Más de 8 m

Consejo

Existe la posibilidad de plantar este rosal a la sombra. Acepta también los terrenos húmedos en las regiones lluviosas, conservando un follaje sano. En ese caso, colóquelo a pleno sol.

«Mme Alfred Carrière» (Schwartz, 1879)

Las rosas blancas y dobles de este rosal antiguo tienen una forma regular, están abiertas todo el verano y son muy perfumadas. El follaje está repartido de manera uniforme en el conjunto de la planta, que conserva un porte redondeado y trepador. Las espinas van unidas a los tallos vigorosos. Es uno de los rosales sarmentosos blancos más bonitos.

¿Dónde plantarlo?
Este rosal se desarrolla a media sombra, incluso orientado hacia el norte si la localización es luminosa, pero su floración será menos espectacular.
Se adapta a los terrenos pobres de tendencia calcárea. Sus tres metros de largo por una altura algo más elevada exigen un soporte de envergadura, donde pueda crecer armoniosamente.
Déjelo sobrepasar el techo de un muro y caerá hacia el otro lado, animando la entrada al jardín, cualquiera que sea la exposición.

¿Cuándo podarlo?
Al ser un rosal refloreciente, hay que podarlo a finales de la estación de invierno.

TREPADOR
Floración continua
Flor doble
y perfumada

FLORACIÓN					
E	F	M	A	M	J
J	A	S	O	N	D

Acepta
media sombra

3,50 a 4 m

Consejo
Este rosal rústico y exento de enfermedades se adapta a todas las zonas. Si el clima es suave, puede reflorecer generosamente a finales de verano y en otoño. Evite, sin embargo, los lugares expuestos al viento, ya que las flores son muy pesadas y los tallos, ya curvados por el peso de los ramilletes, pueden romperse.

«Mermaid» (Paul, 1917)

Este rosal de raza ofrece una flor simple de 8 a 10 cm de diámetro, abierta en plano, de un color amarfilado teñido de amarillo limón en el centro. Es muy remontante y puede florecer hasta diciembre si el invierno es suave. Su gran tamaño se duplica gracias a una profusa vegetación, alcanzando los 6 m de ancho. Las hojas, verde oscuro y lustrosas, añaden su semiperennidad a las calidades del rosal.

¿Dónde plantarlo?
Plantado a pleno sol a lo largo de un muro, es espectacular. Agradece la exposición a media sombra, en un lugar abrigado si el clima es suave. Es ideal para las zonas mediterráneas, tanto en los muros como en las pérgolas.

¿Cuándo podarlo?
Efectúe una poda ligera a finales de invierno, recorte las ramas secundarias y retire los tallos secos.

Consejo
Los tallos tienen muchas espinas feroces. Póngase guantes para cuidar el rosal, para empalizarlo, podarlo o retirar las flores marchitas.

TREPADOR
Floración continua
Flor simple

FLORACIÓN					
E	F	M	A	M	J
J	A	S	O	N	D

Acepta media
sombra clara

6 a 9 m

Combinaciones
Quedará realzado por un tapiz de *Gypsophila paniculata*, de heliantemos, de agapantos o de nepetas. Para una composición más sofisticada, añada adormideras blancas o lirios de color violeta oscuro.

«Parure d'or» (Delbard-Chabert, 1970)

Magnífico trepador moderno. Hace honor a su nombre, que significa «joyas de oro». Sus flores de color amarillo dorado, coronadas de carmín, son generosas y exhalan un perfume presente durante toda la temporada. Empalidecen al marchitarse, pero se estropean bajo la intemperie.

Su forma de copa llena y ondulada queda muy bien sobre el follaje ancho de color verde oscuro. Es uno de los mejores trepadores de flores grandes.

¿Dónde plantarlo?

Se muestra muy resistente a las enfermedades y muy vigoroso. Es de tamaño mediano, fácilmente adaptable a todos los soportes y a las localizaciones soleadas.

En el jardín, encuentra su lugar sobre los arcos, sobre los muros bien expuestos y en las pequeñas pérgolas.

En un balcón grande o en una terraza, cultívelo en una jardinera grande y tenga a mano tutores o alambradas para poder empalizarlo a medida que vaya creciendo.

¿Cuándo podarlo?

Efectúe la poda normal de los trepadores reflorecientes, a finales de invierno.

TREPADOR
Refloreciente
Flor doble
y perfumada

FLORACIÓN

E	F	M	A	M
J	A	S	O	N	

2 a 3 m

Combinaciones

Sus colores combinan armoniosamente con los de la madreselva amarillo oscuro o con los bicoles rosa púrpura y amarillo (*Lonicera heckrotii, L. tellmanniana, L. brownii*). Pruebe también con las vivaces de color rosa carmín.

«Cocktail» (Meilland, 1957)

Sus flores, amarillo vivo en el centro y teñidas de rojo anaranjado en el borde, con pétalos simples, abiertas en forma de copa, recuerdan a la gavanza. Su color no se altera con el sol y sus pequeñas flores delicadas se abren en julio y agosto. El follaje, verde brillante y muy dentado sobre tallos muy espinosos, se mantiene ligero aunque abundante y realza las flores, que desprenden un agradable aroma especiado. Desde su creación, se utiliza indiferentemente como gran arbusto flexible o como pequeño trepador empalizado.

¿Dónde plantarlo?

Es un rosal que precisa estar a pleno sol. Como tiene tendencia a deshojarse por la base, rodee su pie de vivaces que también gusten del sol.

¿Cuándo podarlo?

A finales de la estación de invierno, para recortarles las ramas secundarias.

Consejo

Este rosal es muy sensible a los tratamientos con insecticidas y, como no los precisa, es mejor no efectuar tratamien-

TREPADOR
No refloreciente
Flor simple
y perfumada

FLORACIÓN

E	F	M	A	M
J	A	S	O	N	D

2 a 3 m

tos preventivos. Indudablemente, se arriesgaría a un deterioro de la vegetación.

Confíe en él, se mantendrá sano si el empalizado de las ramas está aireado y si lo riega en las épocas de calor, dos normas que sirven para cualquier trepador.

«Papi Delbard» (Delbard, 1989)

Las rosas, voluptuosas, se inclinan hacia el visitante para ofrecerle pétalos imbricados y dobles, cuyo aspecto es muy parecido al de las opulentas rosas antiguas.

Su colorido es cálido y muy atractivo, albaricoque en el centro, amarillo anaranjado y amarillo rosado alrededor.

Un follaje brillante y muy sano enmarca las flores, de maravilloso perfume.

La floración, abundante, remonta hasta las heladas.

¿Dónde plantarlo?

Sus ramas flexibles y relativamente poco espinosas se adaptan bien al empalizado en una pared, a un enrejado o incluso sobre un gran arco doble.

Combina con las fachadas crema y amarillas. Póngalo a pleno sol.

¿Cuándo podarlo?

Únicamente una poda ligera permite obtener un gran número de flores, pero de todos modos éstas tienen un buen tamaño.

Elimine con regularidad los tallos mal colocados y las ramas muertas.

TREPADOR
Refloreciente
Flor doble
y perfumada

FLORACIÓN

E	F	M	A	M	J
J	A	S	O	N	D

3 a 5 m

Perfume

La nota principal bastante intensa que evoca la toronjina, deja aparecer más tarde el olor a rosa, luego un fondo afrutado de pomelo, de albaricoque, de melocotón y de lichi, que dura mucho tiempo.

«Apple Blossom» (Burbank, 1932)

Forma parte de los rosales sarmentosos y se cubre de enormes ramos de flores abiertas durante más de un mes en verano, pero en una única floración.

Las pequeñas flores rosadas, con pétalos algo arrugados, son perfumadas, el follaje claro es inmune a las enfermedades y los tallos son flexibles, apenas tienen espinas y crecen rápidamente.

¿Dónde plantarlo?

Adorna admirablemente los árboles desnudos, así como una larga pérgola, que permite aprovechar su perfume. Si lo empaliza en un muro, refuerce los hilos para que soporte el peso del ramaje. Acepta las tierras pobres y una luminosidad media.

¿Cuándo podarlo?

Después de la floración, para suprimir las flores marchitas, ya que no reflorece.

Pódelo de forma más extrema si quiere controlar su exuberancia. Si no, déjele vía libre. Para despejarlo, corte los tallos antiguos en otoño: reconocerlos es fácil, ya que son los más gruesos.

ENREDADERA
No refloreciente
Flor simple
y perfumada

FLORACIÓN

E	F	M	A	M	J
J	A	S	O	N	D

Acepta
media sombra
clara, crece en los
árboles

De 3 a más de 8 m,
en función
del soporte

Consejo

Este fantástico rosal enredadera emana un dulce perfume afrutado. Puede cortar algunos ramos para decorar las mesas de verano, jugando con el parecido de las flores con las del manzano.

CATÁLOGO

«Clair Matin» (Meilland, 1960)

Este arbusto presenta tallos adornados por un follaje verde de medio a oscuro, que luce hermosas flores con numerosos pétalos dispuestos en lazada. Su aspecto algo arrugado le da un aire de rosa antigua. Los capullos de color rosa coral contrastan con el rosa tierno de la flor abierta.

Tras una floración generosa en el mes de junio, el rosal produce algunas flores durante el verano, pero sobre todo reflorece en otoño.

Sus flores en forma de lazada desprenden un perfume muy suave de gavanza.

¿Dónde plantarlo?

Puede cubrir un pequeño árbol expuesto a pleno sol o una fachada soleada, si se empaliza en horizontal.

Aunque resiste las tierras bastante pobres, abónela con compuesto y riéguela a menudo.

¿Cuándo podarlo?

A finales de invierno, retire las ramas muertas y, a continuación, los tallos demasiado débiles. Pode las ramas principales un cuarto de su longitud y los tallos secundarios dos tercios.

TREPADOR
Reflorecient
Flor semidob
y perfumad

FLORACIÓ

E	F	M	A	M
J	A	S	O	N

Acepta medi
sombra clara

3 m

Consejo

«Clair Matin», generalmente usado como trepador, alcanza mucha anchura y se empaliza con facilidad, pero puede utilizarse también como arbusto si se practica una poda más extrema.

«Pierre de Ronsard» (Meilland, 1985)

Es uno de los mejores trepadores, su floración refinada es abundante tanto a principios de la estación estival como a finales de otoño, y tiene muy buen aspecto durante toda la temporada.

Las corolas, de forma doble, desprenden un ligero perfume, pero su atractivo principal proviene del color original: marfil en el capullo, que se tiñe de un rosa muy matizado cuando se abre la flor.

Estas rosas, que se parecen a las de los rosales ingleses, conforman estupendos ramos románticos para la casa.

El follaje, sano y brillante, es también tupido.

¿Dónde plantarlo?

Siempre a pleno sol, ya que así dará lo mejor de sí mismo. En una tierra rica regada con regularidad, decora cualquier soporte, desde arcos hasta fachadas.

¿Cuándo podarlo?

A finales de invierno, al igual que los rosales arbustos reflorecientes. Corte las flores con regularidad para favorecer la refloración. Posee una extraordinaria resistencia a las enfermedades.

TREPADOR
Refloreciente
Flor doble
y perfumada

FLORACIÓN

E	F	M	A	M
J	A	S	O	N

2 a 3 m

Combinaciones

Nunca resulta más romántico que solo, empalizado a lo largo de una pared de piedras secas. Acepta, sin embargo, la compañía de vivaces como la *Gypsophila*.

«New Dawn» (Dreer, 1930)

Este rosal muestra una formidable adaptación a varias localizaciones.

Trepa y se extiende con rapidez, florece en abundancia en racimos que caen graciosamente y se renuevan todo el verano, hasta otoño. Muestra un vigor indudable y un follaje brillante que siempre está sano. Las flores, de color rosa nacarado que tiende al blanco, son de tamaño mediano.

¿Dónde plantarlo?

Preferentemente al sol, ya que le resulta necesario para exhalar su perfume. Se adapta a cualquier soporte sólido, a las grandes fachadas y a las bonitas cabañas de jardín. Los cenadores y los arcos metálicos realzan sus racimos de flores.

¿Cuándo podarlo?

Durante los primeros años, deje que este trepador se desarrolle, y luego pode con cuidado las ramificaciones laterales a finales de invierno y suprima los tallos débiles.

Consejo

Su perfume afrutado se difunde con delicadeza cuando recibe más de cinco horas de sol al día, pero es bastante sua-

TREPADOR
Refloreciente
Flor doble
y perfumada

FLORACIÓN

E	F	M	A	M	J
J	A	S	O	N	D

Acepta media
sombra clara

4 m

ve. Plantado en localizaciones más sombreadas, le costará percibir el perfume.

Apreciará, en cualquier caso, la belleza y la abundante floración de las corolas.

«Constance Spry» (Austin, 1961)

Este rosal produce un magnífico efecto de masa, a pesar de que no es refloreciente. Presenta grandes flores dobles y globulosas de estilo antiguo. Su tono rosa fresco, algo más pálido en los pétalos exteriores, consigue un realce muy hermoso gracias a las grandes hojas, de un bonito color verde luminoso.

¿Dónde plantarlo?

Precisa suficiente espacio para que su ramaje imponente pueda crecer y florecer en abundancia. Resiste también a media sombra si el lugar es luminoso. Este rosal se usa tanto como arbusto alto como en forma de gracioso trepador, que puede alcanzar los 4 m de altura.

¿Cuándo podarlo?

Reduzca las ramas tras la floración mediante una poda larga o más extrema, en función de la situación.

Consejo

Si lo planta cerca de la casa, evite la proximidad con las ventanas y con las puertas, para no tener que podarlo excesivamente.

TREPADOR
No refloreciente
Flor doble
y perfumada

FLORACIÓN

E	F	M	A	M	J
J	A	S	O	N	D

1,80 a 4 m

Perfume

Es la primera rosa inglesa creada por David Austin, que introdujo el olor a mirra en el perfume de este linaje. «Constance Spry» es un rosal que embriaga con su fuerza.

«American Pillar» (Van Fleet, 1902)

Rosal antiguo con flores simples de color rosa carmín y corazón blanco, eclosiona profusamente a finales de primavera. Las corolas, medianas, se abren de forma progresiva y dejan asomar el centro bastante tarde. Su celebridad se debe a esta formidable floración bien repartida en tallos muy vigorosos. Se extiende con rapidez sobre su soporte y se vuelve cada vez más tupido. Su follaje ancho le da un aire muy hermoso, incluso cuando aún no ha florecido.

Acepta
media sombra
clara, crece sob
los árboles

6 a 8 m

¿Dónde plantarlo?
Esta variedad exige mucho espacio y soportes sólidos; hay que tenerlo en cuenta antes de plantarlo.

¿Cuándo podarlo?
Tras la floración, pero cortando dos tercios para evitar la proliferación. Deje crecer tallos vigorosos del pie para poder suprimir los viejos cuando ya no sean lo suficientemente floríferos.

Consejo
Este rosal siempre ha sido sensible al oídio, pero si lo sitúa en las mejores condiciones de cultivo, resiste bien. Trátelo inmediatamente cuando detecte los primeros síntomas, y procure que no le falte agua.

Combinaciones
Es tan ancho que no se aconseja combinarlo con otras plantas trepadoras menos vigorosas que él. Una clemátide plantada uno o dos años antes puede resistirlo y crear una combinación preciosa.

«Veilchenblau» (Schmidt, 1909)

En inglés se llama «The Blue Rose», en francés «Bleu Violet» y en castellano «Rosa azul». Este rosal es original gracias a su color y a sus pequeñas flores semidobles, que caen en grandes ramos redondos de tonalidades cambiantes en función de lo abiertas que estén y de la luz del día.
Cuando se abren las flores, los pétalos casi violetas tienden al magenta oscuro, luego pasan al lila y, al marchitarse, son lila grisáceo con reflejos plateados. Es un rosal sarmentoso con mucha vegetación, cuyo follaje verde fresco destaca agradablemente sobre el colorido de las flores. Los tallos son poco espinosos.

Acepta
media sombra

4 a 5 m

¿Dónde plantarlo?
Puede plantarlo en una zona con sombra ligera, o bien al sol. Crece tanto en terrenos pobres como en tierra fértil de jardín. Abónelo con un buen compuesto una vez al año en otoño para enriquecerlo con elementos nutritivos.
Se desplegará vigorosamente sobre un cenador.

¿Cuándo podarlo?
Al no ser refloreciente, la mejor temporada para podar este rosal es tras la floración.

Consejo
Este rosal florece de forma tardía. Los capullos se abren entre mediados de junio y finales de julio en los climas más fríos. En climas más suaves, es más precoz.

«Swany» (Meilland, 1978)

Este rosal produce flores blancas dobles, de estilo antiguo y en gajos. Por lo tanto, se abre en plano.
Los tallos largos y flexibles vestidos con hojas brillantes verde bronce crecen hasta alcanzar 1 m de altura, 1,50 m de anchura y caen también formando una cascada imponente. Demuestra una gran rusticidad.

¿Dónde plantarlo?

Prefiere el clima algo fresco y, por este motivo, crece mejor a media sombra que a pleno sol en las zonas cálidas. Si los rayos del sol queman mucho y el calor es muy fuerte, la refloración se detiene en el punto álgido del verano. Florece de nuevo en otoño, cuando regresa el fresco.
Probablemente, hacer caer este rosal por encima de un nivel en una terraza o sobre un muro bajo de piedras viejas es una de las mejores y más bonitas maneras de utilizarlo.

¿Cuándo podarlo?

Esta variedad puede estar cuatro o cinco años sin podarse. Sus largas ramas se renovarán si se despejan bien de vez en cuando, a finales de invierno: elimine sin dudarlo las ramas viejas.

TAPIZANTE
Refloreciente
Flor doble

FLORACIÓN					
E	F	M	A	M	J
J	A	S	O	N	D

Acepta
media sombra

1 m

Consejo

A pesar de su importante desarrollo, crece bien en maceta, siempre que disponga de una adecuada profundidad.

«Bordure Nacrée» (Delbard, 1963)

«Bordure Nacrée» es espectacular gracias a su abundante producción de rosas de estilo antiguo, y posee un encanto irresistible. Las flores, dobles, de color crema oscuro cuando se abren, se vuelven de color blanco nacarado con un punto de rosa cuando maduran. Las acompaña un follaje verde oscuro ancho y tupido, siempre muy sano.

¿Dónde plantarlo?

Gracias a su porte arbustivo bien ramificado, este rosal se planta en grandes jardineras, en parterres con arbustos más altos y en el suelo, para los linderos compactos y refinados. Precisa estar situado a pleno sol para que la floración tenga lugar durante toda la temporada.

¿Cuándo podarlo?

A principios de primavera, corte casi a ras los tallos viejos para rejuvenecer el pie y generar nuevos brotes vigorosos y muy floríferos.

Consejo

Abone ligeramente los maceteros una o dos veces cada temporada con un abono específico. Cada año hay que re-

TAPIZANTE
Floración continua
Flor doble

FLORACIÓN					
E	F	M	A	M	J
J	A	S	O	N	D

0,40 m

novar parcialmente la tierra de la superficie (retire una cuarta parte de la tierra de la superficie para cambiarla) para aportar también elementos nutritivos.

Combinaciones

En un lindero, puede alternar los pies de rosal con geranios vivaces rojos o rosas.

«Little White Pet» (Henderson, 1879)

Es muy atractivo gracias a su nube de flores en forma de pompón blanco crema con el reverso rosado, reunidas en ramilletes. Sus capullos de color rojo apagado se renuevan constantemente a lo largo del verano, hasta finales de otoño. Funciona bien como tapizante, y también como rosal miniatura.

El follaje es puntiagudo, con una gran resistencia a las enfermedades, de color verde oscuro y muy abundante. Crece hasta 60 cm de altura y alcanza una anchura similar.

¿Dónde plantarlo?

Es muy rústico y resiste una exposición poco iluminada. Colóquelo entre el sol y la media sombra, donde otros tapizantes producen mucho follaje y pocas flores. Su altura media es ideal para bordear los caminos y los grandes macizos. No rechaza los terrenos pobres. Por lo tanto, puede cultivarse en todos los jardines.

¿Cuándo podarlo?

Al ser refloreciente, se poda a finales de invierno. Recórtelo moderadamente, intentando conservar una silueta homogénea.

MINIATURA
Refloreciente
Flor doble

FLORACIÓN

E	F	M	A	M
J	A	S	O	N

Acepta
media sombra

0, 60 m

Consejo

Su porte arbustivo revestido de un follaje muy denso y compacto es adecuado tanto para cultivarlo en macetas como en jardineras profundas.

«Nozomi» (Onodera, 1968)

Esta obtención japonesa, única en su estilo, es un rosal miniatura tapizante muy decorativo.

El rosal no es refloreciente, pero cada año produce, en primavera, multitud de flores simples bajo las que desaparece el follaje. Estas flores, que van del rosado al blanco nacarado, se reúnen en grandes ramilletes a lo largo de todos los tallos.

¿Dónde plantarlo?

Al ser muy bajo, «Nozomi» tiene la facultad de extenderse hasta 1,50 m alrededor de su pie.

Si se empalizan los tallos sobre el pilar de una pequeña barrera, caerán en cascada.

Si se deja en el suelo, hará las veces de tapizante en cualquier situación. Su porte también quedará muy realzado en una maceta. Elija un recipiente de 30 cm de profundidad como mínimo.

¿Cuándo podarlo?

Deje que se desarrolle hasta que alcance su tamaño máximo, despuntando únicamente los tallos tras la floración para limpiar el conjunto del ramaje.

MINIATURA
No refloreciente
Flor simple
y perfumada

FLORACIÓN

E	F	M	A	M
J	A	S	O	N

0,30 por 1 m
o 1,50 m
de anchura

Consejo

Acepta las tierras pobres y una sombra ligera durante parte de la jornada.

Su rusticidad es muy fiable y su follaje es sano.

«Symphonie Lumière» (Meilland, 1995)

Este rosal forma parte de las variedades en miniatura que no sobrepasan los 45 cm de altura. Su porte recogido, sus tallos cortos y la forma ordenada de sus flores le confieren un aspecto muy distinguido para un rosal de este tamaño. Sus flores, abiertas desde junio hasta las heladas, son de color amarillo oro, con un ligero reborde de color rosa cardenal. También puede encontrarse en forma de arbolillo.

¿Dónde plantarlo?
A pleno sol, preferentemente en un lindero, para limitar el césped o para decorar un caminito del jardín. Puede entrar en la composición de los macizos mixtos. Es adecuado para un balcón, en una maceta grande a la vista.

¿Cuándo podarlo?
Espere a principios de primavera para llevar a cabo el mantenimiento. Corte los tallos viejos que hayan florecido mucho. Recuerde retirar las flores marchitas con regularidad.

Consejo
Los rosales miniatura cultivados en maceta precisan un riego frecuente, ya que la tierra se seca con más rapidez. Elija un recipiente que no sea demasiado pequeño, de 30 cm de profundidad aproximadamente. Si está en un balcón muy expuesto al viento y al sol riéguelo cada día, pero no permita que el agua se estanque en el pie.

MINIATURA
Floración continua
Flor semidoble

FLORACIÓN					
E	F	M	A	M	J
J	A	S	O	N	D

0,35 a 0,45 m

«Bonica» (Meilland, 1984)

Este rosal tapizante se extiende doblando su dimensión en amplitud. Las flores, de color rosa tierno, más claras en la zona del perímetro, son pequeñas y, sin embargo, dobles y muy tupidas. Se abren durante todo el verano en gran cantidad y en ramilletes. Los tallos, arqueados, presentan hojas brillantes de color verde con reflejos cobrizos.

¿Dónde plantarlo?
Este rosal florífero y poco exigente tolera bien los suelos pobres. Tanto su follaje como su floración son resistentes y armoniosos. Tapiza los pequeños taludes creando un hermoso volumen. También se coloca en los linderos, a lo largo de las fachadas y de los muros.

¿Cuándo podarlo?
Al ser muy remontante, se poda únicamente a finales de invierno.

Consejo
Gusta de la compañía de otros rosales y de vivaces en las composiciones. También se vende en forma de arbolillo, y puede plantarse aislado. Sus ramas, arqueadas por naturaleza, caerán de forma graciosa. Su estilo de rosal antiguo unido a una producción abundante de flores constituyen importantes bazas para las composiciones elaboradas de las terrazas o de los jardines más intimistas.

TAPIZANTE
Floración continua
Flor doble

FLORACIÓN					
E	F	M	A	M	J
J	A	S	O	N	D

0,75 a 0,90 m

«Max Graf» (Bowditch, 1919)

Este pequeño rosal tiene prisa por crecer como tapizante. En pocos años, llega a alcanzar 2 o 3 m de anchura por apenas 50 cm de altura.

Sobre sus largos tallos rastreros, el follaje oscuro, apenas brillante, realza las flores con corolas simples de un hermoso rosa plateado, que resiste el sol sin palidecer.

Posee un perfume afrutado y cálido.

¿Dónde plantarlo?

Al ser muy rústico, soporta bien el frío, las enfermedades y los terrenos pobres. Por lo tanto, puede plantarse casi en todas partes: al borde de un estanque, donde adornará el brocal, como gran tapiz al fondo del jardín, en los taludes alrededor de un camino, o para decorar el suelo entre los arbustos de las grandes composiciones arbustivas. A medida que va creciendo, se acoda de forma natural, formando un tapiz espinoso y muy denso.

¿Cuándo podarlo?

En verano es muy florífero y luego fructifica un poco. Si no le interesan sus frutos escasos, pódelo después de la temporada estival, porque no reflorece en otoño.

TAPIZANT
No refloreci
Flor simple
y perfuma

FLORACIÓ
E F M A
J A S O

Acepta
media somb

0,40 a 0,60
por una extens
de 2,50 a 3 m

Consejo

No intente plantarlo en una maceta, ni para conseguir tallos que caigan, ya que se acodarían solos poco a poco. Sería una lástima limitar su vigor.

«The Fairy» (Bentall, 1932)

«The Fairy» se caracteriza por sus largos ramos de pequeñas flores dobles de color rosa fresco, colocados sobre un hermoso follaje brillante. Reflorece sin interrupciones desde finales de junio hasta la llegada de las heladas.

No es muy alto, pero se extiende hasta alcanzar los 1,20 o 1,50 m, y se singulariza por un gracioso porte acampanado.

¿Dónde plantarlo?

Casa de maravilla con los bordes de los estanques y se desarrolla en cojines densos a lo largo de los caminos embaldosados. En los macizos densos también halla su lugar. Acepta el cultivo en macetas, a pleno sol o media sombra clara.

No necesita mucho mantenimiento cuando se cultiva en el suelo, y también se desarrolla bien en tierras pobres.

¿Cuándo podarlo?

Si se poda poco, se convierte en un tapizante ligero, pero poblado. Para despejarlo y eliminar los tallos viejos, actúe cada año a principios de primavera. Corte las flores marchitas tan a menudo como le sea posible para ayudarle a conservar una apariencia limpia y para estimular la floración.

TAPIZANTE
Floración contin
Flor doble

FLORACIÓN
E F M A M
J A S O N

Acepta
media sombra

0,60 a 0,90 m

Consejo

A menudo se injerta en forma de arbolillo. Si lo cultiva en maceta, riéguelo con regularidad.

«Avalanche rose» (Delbard, 1994)

Este rosal tan fácil de cultivar forma parte de la gama «sin problemas» de su creador. Es muy resistente y empieza a florecer en el mes de junio, para terminar de hacerlo con las primeras heladas.

Sus flores simples de colores vivos están formadas por corolas rosa carmín con el centro más pálido, adornadas con estambres dorados. La vegetación es tan compacta como densa la floración.

¿Dónde plantarlo?

Un lindero a pleno sol realzará su vivacidad. También puede cubrir rocallas, combinado con milenramas, *Sedum* y jaguarzos rastreros.

Plántelo en grupos o en líneas, colocando un pie cada metro, para obtener un tapiz denso desde el primer año. Un único pie se extenderá hasta 1,50 m en dos o tres años.

¿Cuándo podarlo?

Le basta una poda cada tres o cuatro años. Sirve para rejuvenecer la planta cortando cerca de los tallos viejos, a tres o cuatro yemas, siempre a finales de invierno, para dejar que se desarrolle de nuevo tranquilamente.

TAPIZANTE
Floración continua
Flor simple

FLORACIÓN

E	F	M	A	M	J
J	A	S	O	N	D

0,90 m

Consejo

Este rosal no necesita ningún tratamiento, ya que es inmune a enfermedades y parásitos. Es inútil cortar las flores marchitas, ya que, dado lo rápido que se renuevan, no pueden distinguirse.

«Tapis Rouge» (Interplant, 1986)

«Tapis Rouge», casi un rosal miniatura, tiene un porte tapizante regular y tupido, con apenas 40 cm de altura.

Su color rojo intenso es poco habitual. Está realzado por estambres dorados prominentes, de un tamaño imponente en comparación con sus pétalos simples, ondulados y dispuestos en dos filas.

Sus hojas, de color verde brillante y de forma bastante puntiaguda, son poco sensibles a las enfermedades. Es refloreciente, de floración continua.

¿Dónde plantarlo?

Plante un pie cada 70 cm para obtener un tapiz uniforme al borde de un camino y en los grandes macizos. Este pequeño tapizante se usa en todos los emplazamientos soleados donde no hay espacio para plantar rosales grandes. Su pequeña envergadura lo hace apto también para el cultivo en macetas, para decorar el balcón o animar los caminos.

¿Cuándo podarlo?

Actúe como con todos los rosales reflorecientes, a finales de invierno. Despunte ligeramente los tallos principales para dejar que la vegetación se desarrolle al máximo.

TAPIZANTE
Refloreciente
Flor simple

FLORACIÓN

E	F	M	A	M	J
J	A	S	O	N	D

0,30 a 0,40 m

Consejo

Este tapizante robusto muestra una gran resistencia en climas muy variados y en tierras diversas. Sus tallos son muy espinosos.

Diccionario

Terminología sobre rosas

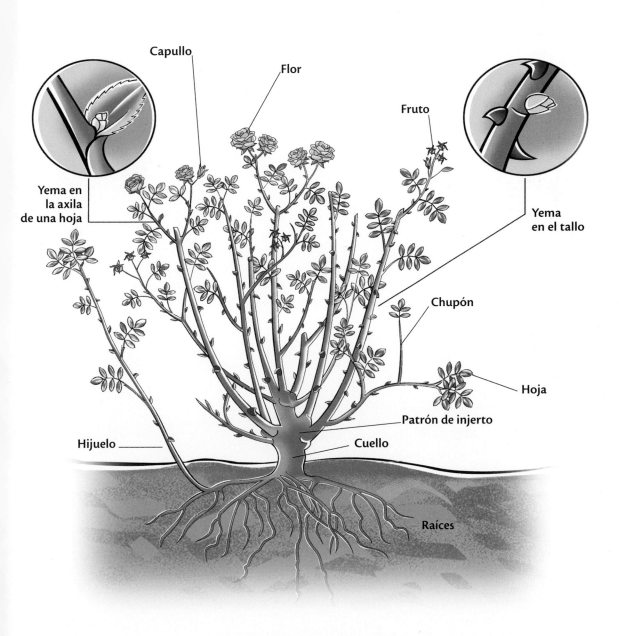

Capullo

Flor

Fruto

Yema en
la axila
de una hoja

Yema
en el tallo

Chupón

Hoja

Patrón de injerto

Hijuelo

Cuello

Raíces

Las diferentes partes de un rosal

Abono

Materia destinada a que la tierra se vuelva más fértil.

Es necesario abonar para obtener rosales floríferos y resistentes. Opte por abonos «especiales para rosales» granulados, que se extienden en marzo, a finales de invierno. Basta con poner un puñado al pie de cada rosal. No olvide rastrillar un poco la tierra para que se incorporen bien los granos.
También puede dopar sus rosales reflorecientes con un aporte de abono tras la primera floración, a finales de junio. Florecerán aún más generosamente.
- *Cómo mantener los rosales (ver p. 12)*
- *Abonar un macizo de rosales (ver p. 26)*

Acodo

Esta operación, tan simple como el esqueje normal, consiste en multiplicar la planta enterrando una rama en el suelo para favorecer que arraigue.

¿Cómo hacerlo?

Se pueden acodar los rosales enredadera y los arbustivos de porte flexible, ya que hay que enterrar una rama sin dañar la planta.
El acodo se realiza en primavera, cuando el rebrote ya está bien establecido. La rama arraigará durante el verano, y en otoño el joven rosal ya podrá separarse del pie de la madre.
- *Los esquejes y los acodos de los rosales (ver p. 18)*

Acolchar

Este término agrupa dos técnicas que tienen como finalidad común la protección de la planta.

El acolchado

Esta operación consiste en cubrir el suelo alrededor del rosal (o de un macizo entero) para impedir que crezcan malas hierbas y poder conservar el suelo húmedo, al hacer más lenta la evaporación. Esta doble protección contra las hierbas y contra la sequía se obtiene con una capa de corteza de pino, de pajitas de lino, de cáscaras de cacao molidas...

El acolchado de invierno

Es la extensión de una capa de compuesto, *mulch*, cortezas, paja o cualquier otro material vegetal destinado a proteger del frío el tronco del rosal. Algunos de estos materiales, como las hojas secas, el compuesto y el *mulch* también cumplen la función de enriquecer la tierra con elementos nutritivos.
- *Cómo mantener los rosales (ver p. 12)*
- *Elegir el mejor acolchado (ver p. 34)*

Acollar

Consiste en cobijar con tierra el tronco de los rosales, alrededor de 30 a 40 cm de su altura. Se procede a la operación en otoño, y ésta se prolonga hasta el fin de la época fría, a finales de febrero o a principios de marzo.

En invierno, este montículo de tierra protege el tronco del frío. Si los tallos han sido dañados por el hielo, pueden recortarse en primavera. Es posible proceder al acollado de los rosales en todas las regiones, una operación que resulta indispensable si se plantan nuevos ejemplares en otoño. El montículo de tierra también sirve para preservar la oscuridad en torno a las yemas, a fin de que no se empiecen a desarrollar a la menor subida de temperatura durante el invierno, ya que corren el riesgo de helarse poco después.

Agarre

El período de agarre es el tiempo durante el cual el rosal se instala y se adapta a un nuevo entorno. Tras la plantación, este período se prolonga generalmente durante un mes o, si las condiciones son difíciles, dos.

Dura hasta la primavera si el rosal ha sido plantado en otoño, ya que las condiciones invernales pueden influir en que agarre bien o no. Siempre es útil regar durante el período de agarre primaveral (excepto en las épocas de mucha lluvia), y es indispensable si el rosal se planta en verano.

Baño de raíces

Se trata de poner en remojo las raíces desnudas del rosal en una mezcla de tie-

ra, agua y, en algunos casos, de hormonas de crecimiento, justo antes de la
plantación.

Esto permite mojar las raíces para que la
tierra se adhiera bien a ellas, sin dejar bol-
sas de aire. También permite conservarlas
húmedas hasta que estén lo bastante de-
sarrolladas como para crecer en la tierra
con los elementos nutritivos que precisa
el rosal.

Tras el baño de raíces, es imperativo plantar inmediatamente el rosal. En los centros de jardinería puede comprar mezcla
para baño de raíces lista para usar.

⊃ *Raíz desnuda (ver p. 107)*

Botánico (rosal)

Los rosales botánicos son los rosales originales, las especies salvajes que se encuentran en la naturaleza, en todo el he-
misferio norte y hasta los confines de
China. Primero fueron cultivados y luego se cruzaron entre sí, de modo que
han permitido obtener los híbridos.

Se siguen cultivando rosales botánicos y
muchos catálogos los ofrecen. Algunos
florecen una única vez, otros son reflorecientes.
Sus follajes a menudo ofrecen hermosos
colores en otoño, y muchos producen
una fructificación decorativa.
⊃ *Rosales con frutos decorativos*
  para alegrar la estación fría
  (ver p. 54)
⊃ *Los rosales botánicos*
  (ver p. 57)

Chupón

Es un tallo que crece recto hacia arriba,
con una sección algo más grande que
los demás. Posee únicamente hojas pero
ninguna flor.

Crece rápidamente, ya que la savia permanece en detrimento del rosal.
Este tallo vigoroso se distingue fácilmente,
porque nace al pie del tronco o en una de
las ramas principales, aprovechando una
ramificación o un codo.
Hay que eliminarlo a ras de su punto de
partida, ya que agota al rosal y es impro-
ductivo.
A veces se llama erróneamente chupones
a los tallos que crecen por debajo del patrón de injerto del rosal o de una raíz. En
realidad, se trata de rebrotes, o de rebrotes de raíz, que también hay que eliminar
rápidamente. Basta con cavar un poco la
tierra para despejar el punto de nacimiento del rebrote y cortarlo, con la ayuda de unas tijeras de podar, lo más cerca
posible de la base.
⊃ *Cómo mantener los rosales*
  (ver p. 12)

Clorosis

Esta enfermedad afecta a los rosales que
se desarrollan en terrenos excesivamente calcáreos.

Los síntomas se manifiestan mediante la
decoloración (las hojas se vuelven amari-

llas), seguida de la caída de las hojas. Esto
indica una carencia de ciertos elementos
nutritivos (generalmente, hierro), que
comporta la desaparición de la clorofila.
El tratamiento se basa en una mejora de la
tierra mediante la aplicación de un producto anticlorosis.
⊃ *Tratar los insectos*
  y las enfermedades (ver p. 20)

Compra

Los rosales pueden comprarse a raíz
desnuda, en terrón o en un recipiente.
Son preferibles los rosales presentados
en recipiente, ya que resultan más fáciles
de plantar para los principiantes.
En los viveros encontrará plantel de
vivaces, plantas aromáticas y plantas
de temporada que acompañarán a sus
rosales.

Compruebe el estado de las plantas: que
no tengan hojas marchitas ni tallos rotos,
y sí en cambio un ramaje sano con ramas
bien ramificadas.
Si el recipiente parece hinchado o las raíces salen a través de los agujeros, elija otro
rosal, ya que a ése le falta tierra y, por lo
tanto, elementos nutritivos, de modo que
tendría que haber sido trasplantado mucho antes.

¿Dónde comprar?

La venta por correspondencia, al igual
que por Internet, exige la elección por catálogo. Cuidado con los colores anuncia-
dos, ya que pueden ser diferentes de un
catálogo a otro en la misma variedad. Este
estilo de venta se ha desarrollado mucho
en los últimos años, y los envoltorios garantizan el transporte en buenas condiciones.
Asegúrese al recibir el paquete de que el
musgo que envuelve las raíces no esté
completamente seco, y de que el paquete
no esté estropeado ni los tallos rotos.

Abono a Compra ⌇ 101

Le será más fácil elegir si se desplaza:

– a un centro de jardinería, donde tendrá mucho donde elegir. Encontrará rosales en todas las presentaciones: a raíz desnuda, en recipiente… Existe una gran variedad de novedades y de clásicos que ya llevan mucho tiempo en el mercado. Los estantes están bien organizados y podrá encontrar fácilmente el tipo de rosal que busca. Además, los vendedores responderán a sus preguntas.

– a un vivero, donde hallará plantas cultivadas en el suelo o en recipientes. No dude en pedir consejo: los viveristas conocen bien las variedades adaptadas a su zona.

– a una feria de flores y plantas, donde encontrará directamente a los viveristas y a los cultivadores de rosas, que le guiarán en su elección y responderán a sus preguntas. Le hará falta un poco de paciencia, porque están muy solicitados.

❍ *¡Comprar un rosal es complicado!*
(ver p. 55)

Compuesto

Producto de reciclaje a base de desechos vegetales. Una vez descompuestos, estos desechos se convertirán en pocos meses en un abono muy adecuado para las rosas y para las demás plantas del jardín.

¿Qué se puede poner en el montón de compuesto?

Todos los residuos vegetales sanos (y sin residuos de productos de tratamiento) que provienen de las podas, los cortes, los deshierbes y las limpiezas varias pueden servir para formar un montón de compuesto en un rincón del jardín. Esta amalgama también puede recibir mondaduras domésticas. Si es posible, alterne capas de materiales secos, como los residuos de las podas y las hojas muertas, con los materiales verdes (como los cortes).

Los desechos tienen que ser de tamaño pequeño para poder descomponerse más rápido. Habrá que moler las ramas grandes.

El compuesto necesitará ser movido con regularidad para madurar, y hay que protegerlo de las intemperies manteniéndolo aireado.

¿Cómo se usa?

Cuando ya está bien descompuesto, se extiende al pie de los rosales. Si está menos maduro, puede extenderse en forma de capa espesa sobre la tierra, en otoño, para mejorar ésta y aportarle elementos nutritivos. Se procederá a la plantación durante la primavera siguiente.

Concurso

Cada año se organizan concursos nacionales e internacionales para elegir las mejores rosas nuevas que han salido al mercado.

Los premios los concede un jurado de profesionales que, tras haber estudiado los ejemplares concurrentes durante tres años, señalan sus observaciones sobre el porte de la planta, la abundancia de su floración, su resistencia a las enfermedades y su desarrollo. Estos concursos permiten a los aficionados distinguir las mejores entre las numerosas rosas nuevas que se proponen cada año en los catálogos.

¿Quién participa?

Puede participar cualquier creador de rosas nuevas, ya sea profesional o aficionado. Debe aportar entre cinco y diez pies de la variedad, que se cultivarán en el lugar del concurso, junto a los demás ejemplares concurrentes.

¿Dónde se organizan?

Generalmente, en los grandes parques públicos que ya cuentan con una rosale-

da y en los que existe una zona reservada para estos concursos.

Los concursos también constituyen una oportunidad para que el gran público descubra las nuevas obtenciones, ya que el lugar del certamen puede visitarse.

Creador

Aficionado u horticultor profesional que cruza las rosas entre ellas para obtener nuevas variedades, cuyas cualidades han de reunir las de sus padres.

También pretende seleccionar la floración más larga, colores originales que no palidezcan al sol, una buena resistencia de la flor a la intemperie, una mayor resistencia de la planta a las enfermedades, varias alturas…

Su trabajo es largo y la puesta a la venta de una nueva rosa no se efectúa hasta que la variedad no es estable, tras diversas selecciones y un cultivo de varios años.

El creador puede ser viverista, pero no es necesario que lo sea. Muy a menudo, crea rosas cuya producción y comercialización cede a los viveristas.

Cuello

Parte del rosal comprendida entre el patrón de injerto y las raíces. Cuando se planta un rosal, esta parte, por lo general, queda enterrada, ya que sólo emerge el patrón de injerto al nivel del suelo.

❍ *Ver dibujo (p. 99)*

Cultivar

Nombre que se da a la variedad obtenida por cruce de dos rosales que se cultivan. Se trata, por lo tanto, de una nueva variedad, obtenida por selección hortícola y cultivada.

❍ *Variedad (ver p. 111)*

Derechos de autor

Actualmente, las rosas nuevas están protegidas para evitar cualquier desacuerdo entre los creadores sobre la paternidad de las creaciones y, por lo tanto, sobre los derechos que perciben tras la comercialización de los ejemplares.

El nombre completo de la rosa, junto con su variedad y el nombre del creador se registran en el Registro de la Propiedad Industrial, así como una descripción técnica establecida por el RPI tras la observación de la rosa.
En las etiquetas de los rosales aparecen muchas indicaciones: el nombre común de la variedad, que puede cambiar según el país donde se comercialice, y la designación de la variedad, que no cambia. Ésta empieza por el nombre del creador (Del de Delbard, Meil de Meilland, Dor de Dorieux, etc.).

Descapullar

Durante la floración, consiste en suprimir los capullos adyacentes al capullo principal, sirviéndose de unas tijeras de podar.

En ocasiones, algunos jardineros descapullan los rosales de mata o los arbustivos para obtener flores más grandes, generalmente destinadas a formar ramos. Como

esta acción disminuye la calidad de flores, es mejor elegir únicamente unas ramas para descapullar y dejar las demás florecer con normalidad para no desnudar demasiado el rosal.

Desherbar

Es el trabajo de mantenimiento más común. Hay que eliminar las malas hierbas del pie del rosal, pero también del suelo del macizo incluso antes de la plantación. Esto permite, por una parte, acabar con los posibles competidores del joven rosal y, por tanto, favorecer su desarrollo, y, por otra parte, impedir que los parásitos encuentren refugio en las malas hierbas e invadan más tarde el rosal. Acuérdese de desherbar antes de que se forme la semilla para que las hierbas no se resiembren antes de su intervención, o durante ésta.

¿Qué hacer?

En el caso de las malas hierbas anuales provenientes de semillas, basta con el deshierbe manual o con un binador. Luego es necesario extender un acolchado denso.
Si se trata de plantas vivaces y coriáceas, hay que destruirlas por completo retirando bien todas las raíces. Para las insistentes puede usarse un herbicida sistémico, que se aplica únicamente sobre el follaje con la ayuda de un pincel, cuando no haga viento ni llueva.
Lea atentamente el modo de empleo y no plante hasta pasado un mes. Aplíquelo cuando no sople el viento ni exista amenaza de lluvia, preservando las plantas de alrededor con un protector. Un mes más tarde, el producto se habrá extendido y habrá actuado sobre todas las partes no deseadas de las plantas, que ya no molestarán.

➲ *Cómo mantener los rosales*
  (ver p. 12)

Empalizado

Consiste en guiar los rosales trepadores sobre un soporte atando los tallos uno a uno a medida que van creciendo.

Los tallos se guían unos sobre otros con independencia para que reciban mejor el sol y florezcan abundantemente.
Sobre arcos y pérgolas, los tallos se unen más, pero, de todas formas, es necesario individualizarlos lo máximo posible para facilitar el mantenimiento.

¿Cómo se empaliza?

Existen dos estilos de empalizado que se practican en los rosales guiados sobre paredes:
– el empalizado horizontal es el más corriente, con hilos extendidos horizontalmente, a los que las ramas seguirán arqueándose;
– el empalizado vertical que guía las ramas hacia arriba, cada una sobre su hilo.
En un enrejado, las ramas pueden guiarse en cualquier dirección (horizontal, vertical u oblicua), ya que se dispone de numerosos puntos de unión para los ramajes.
Es importante conducir las ramas por encima del punto de soporte cuando éste es un enrejado, un cenador, una pérgola o una reja, para evitar que la rama se enrede inextricablemente en el soporte.
Las ataduras deben ser lo bastante holgadas como para no dañar el tallo; se irán añadiendo más a lo largo de la tempora-

da, en función del crecimiento del rosal. En el momento del mantenimiento, es posible desempalizar un rosal trepador para limpiarlo y podarlo, y luego volver a empalizarlo.

- ➲ *Plantar un rosal trepador (ver p. 10)*
- ➲ *Una pérgola cubierta de rosas (ver p. 41)*
- ➲ *Una bonita fachada (ver p. 47)*

Especie

Todas las plantas están clasificadas por géneros, y cada uno de éstos incluye una o varias especies distintas. En el nombre de las plantas, aparece primero el nombre del género (por ejemplo, *Rosa*) y luego el de la especie (por ejemplo, *gallica*), los dos en latín. En las rosas botánicas, es fácil distinguirlo. En las rosas obtenidas por híbridos, no se indica el nombre de la especie, sino únicamente el del género, seguido del nombre dado por el creador al cultivar (o variedad) en cuestión.

- ➲ *Variedad (ver p. 111)*

Esquejar

Operación consistente en multiplicar una planta retirando un fragmento de un tallo del año y replantándolo en una mezcla de tierra ligera para que arraigue. Este esqueje se trasplantará más tarde al jardín. El rosal es una planta fácil de esquejar.

¿Cómo hacerlo?

De una rama sin flor, corte un fragmento de tallo entre 15 y 25 cm de largo, que incluya dos yemas y un par de hojas hacia la parte superior, o bien sin hojas. La parte de arriba ha de cortarse justo por encima de una yema, y la base en bisel, justo por debajo de otra yema.

El esqueje es una técnica que produce rosales no injertados y que, por lo tanto, no producirán rebrotes de raíz. Funciona muy bien con los rosales trepadores, y a veces no tanto con otros tipos de rosales.

¿En qué época?

Se esqueja en el mes de agosto para conseguir los tallos medio lignificados (tallos tiernos que están en proceso de transformarse en tallos duros), llamados semiagostados.

También puede esperarse a septiembre y retirar los trozos de los tallos lignificados (tallos que tienen la consistencia de la madera). Entonces, se dice que los esquejes son agostados. Tendrán tiempo de agarrar antes del invierno, pero no han de trasplantarse al jardín hasta la primavera siguiente.

- ➲ *Los esquejes y los acodos de los rosales (ver p. 18)*
- ➲ *Rebrote de raíz (ver p. 108)*
- ➲ *Yema (ver p. 111)*

Exposición

A todos los rosales les gusta estar a pleno sol. Precisan una gran luminosidad para desarrollarse, florecer abundantemente y conservar su vigor.

Un rosal que no recibe suficientes horas de luz al día (entre cinco y seis) estará enclenque o se debilitará cada vez más, y se convertirá en presa de las enfermedades y los parásitos. Por lo tanto, hay que plantarlos en un lugar adecuado.

¿Y a la sombra?

En una sombra espesa, los rosales no se desarrollan de forma saludable. Pero a media sombra clara, algunos resisten y florecen mejor que otros. Es el caso del trepador «Mme Alfred Carrière» o de «Ghislaine de Féligonde», un pequeño trepador poco exigente en lo referente al sol. Infórmese en el vivero para saber cuáles de sus producciones aceptan menos luz.

Flor

Conjunto de órganos reproductivos de la planta, que incluye los pétalos dispuestos alrededor del pistilo y los estambres, sostenidos por el pedúnculo de la flor y los tépalos, que se insertan en la base de los pétalos, en el exterior de la corola.

Los rosales musgosos tienen la particularidad de producir, además, una especie de musgo verde que envuelve los sépalos y la parte superior del pedúnculo.

Una vez marchitos los pétalos y efectuada la polinización, el ovario crece y se transforma en fruto.

De distintas formas

Dependiendo del número de pétalos y de la forma de la corola, las flores del rosal se dividen en dos grupos:

– las flores de corola simple, que incluyen cinco pétalos en una fila, y a veces el doble en dos filas, que se abren en plano;

– las flores de corola doble, que tienen un gran número de pétalos. Incluyen las flores en forma de copa, a gajos, redondeadas, en remolino, globulosas en urna, en lazada o incluso en pompón, que se encuentra en los rosales miniatura.

- ➲ *Ver dibujo (p. 99)*

Frío

Los rosales producidos y cultivados en nuestro clima son rústicos, ya que han de resistir a las heladas.

Pero eso no significa que soporten las condiciones excepcionales del hielo, si éste es muy riguroso y se prolonga en el tiempo.

Si se forma una capa considerable de nieve, los protegerá. En tal caso, rodee con una cuerda el ramaje del tercio superior del rosal, apretando un poco, para que resista la presión de la nieve sin romperse. En todas las regiones, los rosales soportarán mejor el mal tiempo si los protege con un montoncito de tierra al pie.

En caso de que haga mucho frío pero no nieve, proteja los rosales con una capa de paja, de hojas secas, o con una tela de invernadero.

¿Y en las macetas?

Todas las variedades de rosales son más sensibles al frío si se cultivan en maceta, especialmente en un balcón expuesto al viento. Y aún más teniendo en cuenta que no podrá proteger el pie del rosal con un montoncito de arena, por falta de tierra y de espacio. En las terrazas y en los balcones resguardados, envuelva juntos la maceta (ya que podrían helarse las raíces) y el rosal con una tela de invernadero o con un montón de paja hasta que terminen las heladas.

❍ *¡Hiela y tengo que plantar rosales!*
(ver p. 63)

Fruto

El fruto del rosal contiene mucha vitamina C, lo que explica que siempre se haya tenido presente como alimento en épocas de hambruna. Es mejor cogerlos tras la primera helada de otoño, porque están más tiernos. Con ellos se elabora mermelada, que puede comprarse en las tiendas de dietética.

El fruto del rosal se forma tras la floración, una vez finalizada ésta. Para aprovecharlos, es necesario, por lo tanto, dejar las flores marchitas en el rosal y no cortarlas. Se puede tirar de la corola seca con la mano y retirar los pétalos marchitos. Si deja que los frutos de su rosal se desarrollen durante muchos años seguidos, éste puede sufrir un ligero agotamiento y florecer menos. Los frutos más espectaculares y decorativos los producen los rosales botánicos, en particular la gavanza silvestre, *Rosa rugosa* y *Rosa pomifera*, y algunos de sus híbridos, como *Rosa filipes* «Kitsgate».

❍ *Rosales con frutos decorativos*
para alegrar la estación
fría (ver p. 54)
❍ *Ver dibujo (p. 99)*

Herramientas

Sirven para plantar, podar y mantener los rosales. Siempre hay que tenerlas limpias para evitar contaminaciones entre plantas, si algunas están enfermas. Limpie las hojas con alcohol o frótelas con paja y afílelas con regularidad para conseguir cortes limpios. Retire la tierra residual que queda pegada antes de guardarlas. Protéjalas de la intemperie y manténgalas fuera del alcance de los niños.

Las herramientas básicas para cultivar rosales

Unas tijeras de podar sólidas y bien adaptadas al tamaño de su mano; un par de podaderas de mano para cortar las ramas grandes; una sierra para seccionar los tallos viejos cerca del tronco o para rejuvenecer un rosal muy viejo; un buen par de guantes de piel; una pala para cavar los hoyos de plantación; un binador para desherbar alrededor del rosal y romper la capa de la superficie del suelo, y una regadera o una manguera.

Híbrido

Un rosal híbrido es el que se obtiene por cruce de dos especies o variedades del mismo género o de géneros distintos.

La hibridación la realizan creadores que eligen a los padres de la nueva variedad, los cruzan por polinización artificial y luego seleccionan las plantas surgidas de este cruce. La selección se realiza en unos cuatro o cinco años, ya que las plantas se cultivan y se observan para elegir la mejor, que luego se multiplica para obtener la variedad comercializada.

❍ *Especie (ver p. 104)*

Hoja

Las hojas de los rosales se componen de folíolos dentados, generalmente cinco, aunque pueden llegar a ser nueve, dependiendo de la especie y de la variedad. Estos folíolos se reparten por pares opuestos al pecíolo, y están coronados por un folíolo terminal. Más o menos alargados, pueden ser casi lisos, brillantes, poco nervados, o presentar un gran número de nervaduras, ser vellosos (tener pequeños pelillos) y mostrar un ligero relieve.

Si observa con regularidad las hojas de su rosal podrá detectar rápidamente los ataques de pulgón, de roya o de oídio y tratarlos con celeridad. Las hojas sanas y brillantes son siempre señal de buena salud.

Inerme

Este término designa a los tallos que no tienen espinas y, por extensión, los rosales con muy pocas espinas o que no son nada espinosos.

Los híbridos modernos destinados a la producción de flores para cortarlas a menudo forman parte de este grupo, pero otros rosales de jardín, antiguos y modernos, también lo son. Por otra parte, algunos rosales tienen espinas tan formidables, rectas o curvadas en forma de garra, que se convierten en decorativas. Las de *Rosa sericea pteracantha*, las más raras, son planas y miden de 1 a 2 cm de ancho, rojas y traslúcidas al sol, lo que les otorga un gran atractivo.

Insectos

Se clasifican en dos categorías: los insectos beneficiosos, que ayudan en la polinización y a eliminar a los insectos devastadores, y estos últimos, que se alimentan de la savia, las hojas y los capullos, o se instalan en la planta para reproducirse. Desgraciadamente, no pueden eliminarse los insectos malignos con insecticidas sin riesgos para los demás.

Los insectos devastadores de los rosales

– El pulgón negro y verde chupa la savia. Si ve hormigas al pie de los rosales, elimínelas antes que al pulgón, ya que lo cuidan para alimentarse luego de sus defecciones, una sustancia azucarada. Las hormigas odian las plantas aromáticas. Por lo tanto, rodee los rosales de lavanda, abrótano, nepeta, salvia...

– Los ácaros, entre los cuales figura la araña roja, rodean las partes aéreas de la planta con finas telas casi invisibles. Las hojas se vuelven amarillas y se enrollan sobre sí mismas; los capullos también se vuelven amarillos y no se abren.

– La mosca blanca chupa la savia. Vive más bien en los invernaderos y en las marquesinas, pero a veces ataca a los rosales exteriores cuando hace mucho calor.

➲ *Tratar los insectos y las enfermedades (ver p. 20)*

Mulch

Este término inglés, que ha pasado al vocabulario corriente de la jardinería, designa un compuesto formado por varios materiales secos que se extienden en el suelo de los macizos y al pie de los rosales como acolchado. Tiene la doble función de proteger la tierra de las malas hierbas y de la evaporación demasiado rápida y de enriquecer la tierra a medida que ésta se va descomponiendo.

No hay que confundirlo con el compuesto, que contiene también elementos verdes que se expanden una vez que se han descompuesto. El *mulch* puede estar formado de hojas secas, cortezas y ramas molidas muy finas, hilos de lino o turba

Perfume

Emana de los tejidos celulares del cáliz y de la corola. Los perfumes más elaborados comportan tres categorías de componentes o notas.

Las notas

Las notas de salida (o de cabeza) son las que primero se descubren. Están compuestas de familias olfativas de aromáticas y cítricas. Las notas medias (también llamadas corazón) vienen después. Se reparten en familias verdes, floridas, afrutadas y especiadas. Luego están las notas de fondo, que son de madera o balsámicas. Muchas rosas tienen únicamente dos categorías de notas. Una gran cantidad de rosas amarillas y blancas ofrecen notas de salida cítricas (huelen a limón, a mandarina, a pomelo...), las rosas y las rojas exhalan a menudo las familias floridas (rosa, azucena) y afrutadas (frambuesa, vainilla, albaricoque...).

¿Cómo se huele una rosa?

Por la mañana, no demasiado temprano para que el rocío ya se haya evaporado, ni tampoco demasiado tarde, para que el calor del sol no haya dispersado los efluvios. Por la tarde, cuando refresca, muchos rosales desprenden de nuevo su perfume. El tiempo demasiado frío o demasiado caluroso lo diluye. Hay que esperar una mejora en las condiciones atmosféricas y un aire ligeramente húmedo para aprovecharlo mejor. Para apreciar todas las notas del perfume, es preciso aproximarse mucho a la corola, incluso acercar la nariz a su interior e inspirar durante un rato una vez, y luego otra.

➲ *Los rosales más perfumados (ver p. 35)*

Plantar

Para poner la planta en el jardín o en una maceta en el balcón, hay que respetar algunas normas concretas: así se adaptará a su nuevo ambiente y crecerá en buenas condiciones.

Para que una plantación tenga éxito, es necesario contar con una tierra bien mullida, cavar hoyos de plantación anchos y profundos o disponer de macetas grandes. Asimismo, hay que preparar el terrón o las raíces desnudas, colocar la planta a una altura adecuada, volver a tapar el hoyo, pisar la tierra para que se adhiera bien a las raíces o al terrón, y regar. La exposición y el período de plantación también deben tenerse en cuenta.

➲ *Plantar rosales (ver pp. 8 y 10)*

Poda

Es la intervención que se efectúa en una planta cortando las ramas, ya sea con el fin de rejuvenecerla, de eliminar las ramas muertas, débiles o enfermas, o de incitarla a producir brotes nuevos vigorosos y floríferos

La poda se lleva a cabo en otoño o a principios de primavera, cuando la planta está en reposo vegetativo. Para cortar la mayor parte de las ramas se utilizan unas tijeras

de podar; una cizalla para las más grandes y, eventualmente, una pequeña sierra manual para los tallos fuertes, los más antiguos, que deben seccionarse por la base.

➲ *Limpiar y rejuvenecer los rosales (ver p. 14)*
➲ *Podar los rosales (ver p. 16)*

Pulgón

➲ *Insectos (ver p. 106)*

Patrón de injerto

Es el lugar donde se ha injertado el rosal para obtener una variedad más resistente a los distintos tipos de suelo y a las enfermedades.

Se sitúa en el nivel del cuello de la planta, entre el tallo y las raíces. El patrón de injerto es perceptible, ya que produce una hinchazón del tallo. En los rosales en forma de arbolillo, se sitúa directamente en la base de las ramas, ya que cada tallo principal ha sido injertado para conseguir que adopte una forma de bola o llorón.

➲ *Ver dibujo (p. 99)*

Raíz desnuda

Los rosales a raíz desnuda se presentan sin terrón, es decir, sin tierra alrededor

de las raíces. Se cultivan en el suelo y luego se arrancan para venderlos durante el período de reposo vegetativo. Dado que la savia desciende en otoño y vuelve a subir a principios de primavera, sólo pueden arrancarse entre los meses de octubre y marzo.

Estos rosales tienen que replantarse en el jardín lo antes posible para evitar que las raíces se sequen, hecho que provocaría la muerte del arbusto. Si el terreno está helado o demasiado empapado, puede esperar unos días, para lo cual deberá colocar los rosales en una zanja para renuevos.

¿Cómo plantarlos?

Hay que respetar algunas reglas para facilitar al máximo que la planta agarre:

1. Empiece por recortar las raíces un tercio de su longitud aproximadamente, para refrescarlas y provocar que rebroten de forma vigorosa. Corte también las que están estropeadas y débiles. Luego recorte las ramas, si no están muy cortas.

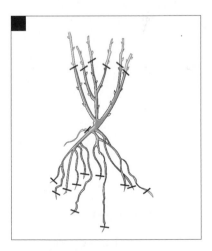

2. Después, empape las raíces en un cubo lleno con una mezcla fangosa de tierra, agua y polvo de hormonas de arraigamiento. Si es lo bastante líquida, la mezcla bañará las raíces.

3. Coloque el rosal en un pequeño montículo de tierra, en un hoyo de plantación que debe preparar con antelación. Colóquelo a la altura adecuada ayudándose de una tabla que situará atravesando el hoyo. El cuello del rosal tiene que llegar al nivel de la superficie. Las raíces deben estar bien distribuidas alrededor del pequeño montículo de tierra.

4. Vuelva a tapar el hoyo pisando un poco, forme una concavidad alrededor del pie del rosal modelando un reborde de tierra para retener el agua de riego, y riegue abundantemente.

¿Dónde encontrarlos?

Los rosales comprados por correspondencia siempre son a raíz desnuda. En cambio, en los viveros y en las tiendas de jardinería se presentan dos opciones: durante todo el año, los rosales en recipiente (aconsejables para los principiantes) y, de noviembre a febrero, los de a raíz desnuda. Cuando el período de reposo vegetativo ya ha finalizado, evite la compra de rosales a raíz desnuda

➲ *Plantar rosales (ver p. 8)*

Rebaje

Esta operación consiste en recortar las ramas de los rosales (y las raíces si se compran a raíz desnuda) cuando se plantan en otoño o en marzo.

Esta poda tiene la finalidad de refrescar los cortes para que estén más limpios, eliminar las partes secas o estropeadas y provocar un rebrote vigoroso (en el caso de las plantaciones de primavera), tanto en las ramas como en las raíces.
Proceda siempre con unas tijeras de podar afiladas y limpias, a las que deberá limpiar la hoja con alcohol para evitar cualquier contaminación.
Los rosales comprados en recipientes y que ya están en flor no se rebajan al plantarlos.

➲ *Raíz desnuda (ver p. 107)*

Rebrote

➲ *Cómo mantener los rosales (ver p. 12)*
➲ *¡Mi rosal en forma de arbolillo rebrota desde el pie! (ver p. 38)*
➲ *Rebrote de raíz (ver esta página)*

Rebrote de raíz

Tallo que crece de la parte baja del rosal. Generalmente es subterráneo y nace de una raíz o directamente del tallo, bajo el patrón de injerto.

También puede crecer en el tronco de los rosales en forma de arbolillo, ya que el patrón de injerto se sitúa más arriba, en las ramas principales. En tal caso, se habla más bien de hijuelo.
Los rebrotes de raíz, que intentan garantizar la propagación de la planta, tienen tendencia a quedarse la savia. Hay que suprimirlos, ya que, en los rosales injertados, son hijuelos del portador del injerto y, por lo tanto, de una variedad distinta a la del rosal cultivado. Córtelos a ras de base, en el punto donde nacen.

➲ *Cómo mantener los rosales (ver p. 12)*
➲ *¡Mi rosal en forma de arbolillo rebrota desde el pie! (ver p. 38)*

Recipiente

Maceta de plástico donde se cultiva el rosal para luego venderlo. Es de tamaño variable (se expresa en litros), según el grosor y el tipo de rosal.

Este recipiente contiene un terrón que aguanta las raíces y que debe conservarse en el momento de la plantación. Es la presentación que deben elegir los principiantes, ya que plantar rosales cultivados en recipiente es muy fácil.

➲ *Plantar rosales (ver p. 8)*

Refloreciente/ No refloreciente

Un rosal se denomina refloreciente (o remontante) cuando florece varias veces durante el mismo año. Todos los rosales eclosionan una primera vez en primavera o a principios de verano, entre mayo (o abril, según las zonas) y finales de junio los más tardíos.

Los que se consideran reflorecientes vuelven a florecer a finales de verano, entre finales de agosto y finales de octubre o noviembre.

Esta cualidad ha sido mejorada y los híbridos modernos reflorecientes florecen tres veces durante la temporada, lo que evita un período estival sin flores.
Los rosales muy reflorecientes, llamados también de floración continua, parecen estar en flor desde el mes de junio hasta octubre. En realidad, también tienen puntas de floración, en junio, julio y a finales de agosto, pero renuevan sus flores tan rápidamente que apenas hay tiempo de darse cuenta.
La mejor forma de potenciar la refloración de los rosales es retirar sistemáticamente las flores marchitas, hecho que permite a la savia estar disponible para los nuevos capullos.
Los rosales no reflorecientes, de una única floración anual pero muy abundante, se encuentran mayoritariamente entre los rosales antiguos y los botánicos.

Reposo vegetativo

A veces se denomina dormancia, y es el período de reposo de las plantas caducas, durante el que la savia vuelve a bajar y no alimenta el crecimiento.

En el caso de los rosales, este período corresponde al descenso de las temperaturas, que bloquea el proceso vegetativo. Las yemas no pueden desarrollarse, los tallos no crecen más y el rosal está a la espera de un aumento de la temperatura.
Por eso son peligrosos los incrementos de temperatura durante el invierno, ya que comportan una nueva subida de la savia, demasiado precoz si más tarde vuelve a helar.

Riego

Para los rosales se usa una regadera o una manguera, o un sistema de goteo para los pequeños macizos y las combinaciones.
El riego automático por aspersión, como el que se coloca en el césped, no es aconsejable, ya que a los rosales no les beneficia en absoluto que les mojen las flores.
Si no tiene tiempo de regar, coloque en el macizo mangueras microperforadas, que deberá unir a la toma de agua y a un programador.

¿Cómo regar?

Únicamente al pie del rosal, ya sea éste miniatura, de mata, arbustivo o trepador. Si cava un pequeño reborde alrededor del pie, de entre 40 y 50 cm de diámetro, el agua permanecerá en esa concavidad y resultará provechosa para el rosal, ya que se infiltrará directamente en las raíces.
En los macizos, si puede disponer del riego programado, toda la tierra se beneficiará del aporte de agua, algo muy conveniente cuando los rosales tienen plantas vivaces alrededor del pie.

¿Cuándo regar?

Hágalo a intervalos regulares, para no olvidarse, pero teniendo en cuenta la estación y las intemperies.
En épocas de mucho calor y de sequía, riegue cada tres o cinco días los rosales que estén plantados en el suelo, según el tipo de tierra, y cada día los rosales de las macetas.
Si quiere que los rosales se vuelvan resistentes y arraiguen bien, es mejor regar abundantemente para que la tierra se humidifique en profundidad a regar un poco cada día.

➲ *Cómo mantener los rosales (ver p. 12)*

Rústico

➲ *Frío (ver p. 104)*

Sombra

➲ *Exposición (ver p. 104)*

Terrón

Es la tierra que rodea las raíces del rosal. El terrón será más importante en el suelo que en los rosales cultivados en maceta.

El terrón proporciona a las raíces los elementos nutritivos que necesita el rosal, y evita que éstos se sequen en caso de que se trasplanten. Para conseguirlo, hay que cavar una zanja alrededor del pie de un diámetro de 40 o 50 cm como mínimo, para estropear las raíces lo menos posible.

Tierra

Los rosales prefieren las tierras ricas y pesadas, de tendencia arcillo-silícea, pero algunos pueden crecer en tierras ligeras de tendencia calcárea.

Por lo general, cualquier tierra de jardín es adecuada para los rosales, si se abona con un buen compuesto, o si se añade tierra con arena al hoyo de plantación, en el caso de un terreno denso, o turba, mantillo y arcilla, en el caso de un terreno demasiado poroso y pobre.

Tipo

La altura del rosal adulto y su porte son los dos criterios que determinan a qué tipo pertenece, y, por lo tanto, la categoría en la que lo encontrará clasificado en los centros de jardinería y en los catálogos de venta por correspondencia. También se indica siempre en las etiquetas descriptivas.

A continuación, se indican los ocho tipos principales de rosales que existen en la actualidad.

El rosal arbustivo

No es muy alto, pero crece de forma vigorosa, lo que permite empalizar algunas variedades. Su altura oscila entre 1,20 y 2,50 m, y muestra un porte erguido que se redondea si puede desarrollarse.

Queda muy bien como fondo de macizo y en hileras, ya que en general no precisa soporte.

El rosal de mata (o de macizo)

Es muy compacto y de silueta equilibrada, y alcanza los 0,80 o 1,20 m como máximo. Dentro de esta categoría existe una distinción entre los rosales de flores grandes y los de ramilletes.

El porte de los primeros es algo más rígido y las flores aparecen aisladas en su tallo. Los segundos son más flexibles y ofrecen más flores reunidas en la parte superior del tallo.

El rosal tapizante

Se trata de un rosal más ancho que alto. Su característica principal es la capacidad para cubrir grandes superficies.

Pequeño y casi rastrero o tirando a mata y algo más alto, es ideal para vestir los taludes, las orillas y los lugares de difícil acceso.

El rosal trepador

Se reconoce por sus tallos erguidos, muy rígidos y vigorosos al principio.

Pierde sus hojas en la parte inferior con más facilidad que los demás, lo que es normal. Llegan a alcanzar los 2 m en el caso de los más pequeños, y los 6 m en los más grandes.

El rosal enredadera

Forma parte de los rosales trepadores, pero sus tallos son más delgados y muy flexibles. Se enrollan fácilmente alrededor de su soporte, como las ramas de los árboles.

Alcanza grandes alturas (más de 9 m por lo general) y se vuelve muy tupido. Sus espinas son por lo general curvadas y temibles.

El rosal miniatura

Es ideal para cultivarlo en maceta. Produce una gran cantidad de tallos finos cubiertos de pequeñas flores, y su porte en forma de cojín o extendido no supera los 40 o 50 cm de altura.

El rosal *paysagé*

Esta nueva categoría ha aparecido en los últimos años y se sitúa entre los tapizantes y los arbustivos. Recuerda el vigor de estos últimos y, por lo tanto, es adecuado para plantar en hileras bajas o altas, y tiene la extensión de los tapizantes.

Son rosales muy resistentes, creados para los lugares donde el mantenimiento es muy limitado, como los parques públicos.

El rosal en forma de arbolillo

Este rosal, al igual que el rosal llorón, está injertado sobre una variedad conocida, comercializada en la forma original y cuyo porte y floración pueden ser compatibles con un injerto sobre tallo.

Tutor

Algunos rosales precisan de un tutor para mantenerse erguidos, sin que su pie se doble por la acción del viento o del hielo.

Éstos son, concretamente, los rosales en forma de arbolillo: el tutor contribuye a su agarre, a su desarrollo. Desempeña la función de sostén y conviene mantenerlo durante toda la vida de la planta.

El ramaje, en forma de bola o de cascada y cubierto de flores, le resulta cada vez más pesado al tallo. Sin tutor, el rosal corre el riesgo de inclinarse cada vez más, de caerse o de romperse a causa del mal tiempo.

¿Cuándo poner un tutor?

El tutor debe ponerse en el hoyo de plantación, antes que el rosal. Al repartirse, las raíces lo envolverán.

Deje un pequeño espacio entre el tutor y el tallo que, progresivamente, se hará más grueso.

¿Cómo fijar de forma óptima el rosal al tutor?

Átelo con cuerdas de musgo, rafia o mimbre flexible, que no dañarán el tallo. Use materiales que se vean lo menos posible, pero, sobre todo, que no corten la corteza del rosal.

Con las abrazaderas de alambre de jardín (recubierto de plástico) tendrá que ir con cuidado de no apretar demasiado; afloje los lazos a medida que aumente el diámetro del tallo.

Átelo con cierta holgura para no apretar demasiado el tallo y haga el lazo cruzando los dos extremos del cordón entre el tallo y el tutor.

Los lazos han de situarse en dos puntos del tallo: abajo, a un tercio de su altura, y justo bajo el ramaje.

¿De qué altura?

La altura del tutor depende de la altura del rosal adulto. El extremo superior no debe sobrepasar el ramaje, ni integrarse en el mismo.

La longitud adecuada será, por lo tanto, la misma que la del tallo del rosal, más los 50 cm que estarán enterrados bajo tierra (40 cm si es un rosal pequeño).

¿Y los demás rosales?

Los otros tipos de rosales, en general no precisan tutor, excepto los trepadores que no son suficientemente grandes cuando se plantan para empalizarlos, y los que se guían hacia los árboles antes de que sean lo bastante fuertes para alcanzar por sí solos las primeras ramas.

En ambos casos, el tutor ha de orientarse hacia el soporte, para que el rosal se dirija hacia él, y debe retirarse al cabo de un año.

Variedad

Cada especie incluye muchas variedades o cultivares. La variedad y el cultivar indican casi lo mismo cuando se habla de rosales. La primera es natural, mientras que el segundo ha aparecido por cultivo.

En los catálogos, las rosas se presentan únicamente por su nombre de obtención, como «Mme Alfred Carrière», excepto en el caso de los rosales botánicos, que se nombran por el género y la especie, como *Rosa rugosa*. Así, es común en el lenguaje corriente llamar variedad a las distintas rosas, ya que provienen todas del mismo género. En los nombres de rosa:

– *Rosa* representa el género,

– *rugosa, glauca, gallica, centifolia...* la especie,

– luego viene el nombre de la variedad, o del cultivar.

En el caso de la *Rosa gallica rubra*, tenemos el género, la especie y el cultivar obtenido en cultivo.

Yema

Un brote que empieza a salir del tallo se llama yema. Está poco desarrollado, pero ya se aprecia a simple vista.

Durante la poda de los rosales, la referencia para determinar la longitud que hay que mantener se mide en número de yemas: se corta a dos o cuatro yemas, o a un tercio de la longitud ante una yema que apunta al exterior, por ejemplo. La posición del corte también se indica respecto a la yema que queda: por encima o por debajo, y en bisel en el sentido inverso a ella.

❷ *Podar los rosales (ver p. 16)*
❷ *Ver dibujo (p. 99)*

CRÉDITOS

Fotografías

Las fotografías que ilustran este libro han sido proporcionadas por Delbard (84, 87)), Éditions NIRP INTERNATIONAL (74, 79), A. Eve (92), Horticolor (74, 76), Meilland, E. Ulzega (70, 71, 72, 73, 75, 77, 81, 86, 88, 91, 93), Orard (77), D. Willery (52, 53) y la agencia MAP/Mise au point.

De la agencia MAP/Mise au point (ZAC des Aunettes. D27-10, bd Louise Michel, 91030 Evry Cedex) han colaborado:

P. Aversenq: 30

A. Descat: 27, 28, 29, 31, 36, 37, 39, 40, 41, 43, 55, 57, 58, 59, 60, 61, 64, 65, 66,70, 68, 71, 77, 78, 79, 80, 83, 84, 85, 86, 87, 89, 90, 92, 94

F. Didillon: 6, 7, 27, 30, 31, 50, 57, 67, 82, 91, 95

A. Guerrier: 34, 69

F. Marre: 43

N. y P. Mioulane: 22, 23, 38, 39, 41, 42, 44, 45, 46, 47, 55, 56, 63, 66, 67, 69, 72, 75, 78, 84, 85

Y. Monel: 31, 54

C. Nichols: 51, 54, 62, 63, 96, 97

Noun: 26, 32, 33, 34, 83, 95

Noun y Gaëlle: 38

Ilustraciones

Denise Basin: 9, 11, 13, 15, 17, 19, 21

Sylvie Rochart: 98, 105